DU MÊME AUTEUR

Aux Éditions Gallimard

AU BONHEUR DES OGRES (« Folio », n° 1972).

LA FÉE CARABINE (« Folio », n° 2043).

LA PETITE MARCHANDE DE PROSE (« Folio », n° 2342). Prix du Livre Inter 1990.

COMME UN ROMAN (« Folio », n° 2724).

MONSIEUR MALAUSSÈNE (« Folio », n° 3000).

MONSIEUR MALAUSSÈNE AU THÉÂTRE (« Folio », n° 3121).

MESSIEURS LES ENFANTS (« Folio », n° 3277).

DES CHRÉTIENS ET DES MAURES. Première édition en France en 1999 (« Folio », n° 3134).

LE SENS DE LA HOUPPELANDE. *Illustrations de Tardi* (« Futuropolis »/ Gallimard).

LA DÉBAUCHE. *Bande dessinée illustrée par Tardi* (« Futuropolis »/Gallimard).

AUX FRUITS DE LA PASSION (« Folio », n° 3434).

LE DICTATEUR ET LE HAMAC (« Folio », n° 4173).

MERCI.

MERCI *suivi de* MES ITALIENNES, chronique d'une aventure théâtrale *et de* MERCI, adaptation théâtrale (« Folio », n° 4363).

MERCI. *Mise en scène et réalisation de Jean-Michel Ribes. Musique* « Jeux pour deux », 1975, *de François Vercken* (« DVD » conception graphique d'Étienne Théry).

Aux Éditions Gallimard Jeunesse

Dans la collection « Folio Junior »

KAMO L'AGENCE BABEL, n° 800. *Illustrations de Jean-Philippe Chabot.*

L'ÉVASION DE KAMO, n° 801. *Illustrations de Jean-Philippe Chabot.*

KAMO ET MOI, n° 802. *Illustrations de Jean-Philippe Chabot.*

KAMO L'IDÉE DU SIÈCLE, n° 803. *Illustrations de Jean-Philippe Chabot.*

Suite des œuvres de Daniel Pennac en fin de volume

CHAGRIN D'ÉCOLE

DANIEL PENNAC

CHAGRIN D'ÉCOLE

nrf

GALLIMARD

Il a été tiré de l'édition originale de cet ouvrage
quarante exemplaires pur vélin pur fil des papeteries Malmenayde
numérotés de 1 à 40.

Pour Minne, ô combien !

À Fanchon Delfosse, Pierre Arènes, José Rivaux, Philippe Bonneu, Ali Mehidi, Françoise Dousset et Nicole Harlé, sauveurs d'élèves s'il en fut.

Et à la mémoire de Jean Rolin, qui ne désespéra jamais du cancre que j'étais.

I

LA POUBELLE DE DJIBOUTI

*Statistiquement tout s'explique,
personnellement tout se complique.*

1

Commençons par l'épilogue : Maman, quasi centenaire, regardant un film sur un auteur qu'elle connaît bien. On voit l'auteur chez lui, à Paris, entouré de ses livres, dans sa bibliothèque qui est aussi son bureau. La fenêtre ouvre sur une cour d'école. Raffut de récré. On apprend que pendant un quart de siècle l'auteur exerça le métier de professeur et que s'il a choisi cet appartement donnant sur deux cours de récréation, c'est à la façon d'un cheminot qui prendrait sa retraite au-dessus d'une gare de triage. Puis on voit l'auteur en Espagne, en Italie, discutant avec ses traducteurs, blaguant avec ses amis vénitiens, et sur le plateau du Vercors, marchant, solitaire, dans la brume des altitudes, parlant métier, langue, style, structure romanesque, personnages... Nouveau bureau, ouvert sur la splendeur alpine, cette fois. Ces scènes sont ponctuées par des interviews d'artistes que l'auteur admire, et qui parlent eux-mêmes de leur propre travail : le cinéaste et romancier Dai Sijie, le dessinateur Sempé, le chanteur Thomas Fersen, le peintre Jürg Kreienbühl.

Retour à Paris : l'auteur derrière son ordinateur, parmi ses dictionnaires cette fois. Il en a la passion, dit-il. On apprend d'ailleurs, et c'est la conclusion du film, qu'il y est entré, dans le dictionnaire, le Robert, à la lettre P, sous le nom de Pennac, de son nom entier Pennacchioni, Daniel de son prénom.

Maman, donc, regarde ce film, en compagnie de mon frère Bernard, qui l'a enregistré pour elle. Elle le regarde d'un bout à l'autre, immobile dans son fauteuil, l'œil fixe, sans piper mot, dans le soir qui tombe.

Fin du film.

Générique.

Silence.

Puis, se tournant lentement vers Bernard, elle demande :

– Tu crois qu'il s'en sortira un jour ?

2

C'est que je fus un mauvais élève et qu'elle ne s'en est jamais tout à fait remise. Aujourd'hui que sa conscience de très vieille dame quitte les plages du présent pour refluer doucement vers les lointains archipels de la mémoire, les premiers récifs à ressurgir lui rappellent cette inquiétude qui la rongea pendant toute ma scolarité.

Elle pose sur moi un regard soucieux et, lentement :

– Qu'est-ce que tu fais, dans la vie ?

Très tôt mon avenir lui parut si compromis qu'elle ne fut jamais tout à fait assurée de mon présent. N'étant pas destiné à devenir, je ne lui paraissais pas armé pour durer. J'étais son enfant précaire. Elle me savait pourtant tiré d'affaire depuis ce mois de septembre 1969 où j'entrai dans ma première classe en qualité de professeur. Mais pendant les décennies qui suivirent (c'est-à-dire pendant la durée de ma vie adulte), son inquiétude résista secrètement à toutes les « preuves de réussite » que lui apportaient mes coups de téléphone, mes lettres, mes visites, la parution de mes livres, les articles de journaux ou mes passages chez Pivot. Ni la stabilité de ma vie professionnelle, ni la reconnaissance de mon travail littéraire, rien de ce qu'elle entendait dire de moi par des tiers ou qu'elle pouvait lire dans la presse ne la rassurait tout à fait. Certes, elle se réjouissait de mes succès, en parlait avec ses amis, convenait que mon père, mort avant de les connaître, en aurait été heureux mais, dans le secret de son cœur demeurait l'anxiété qu'avait fait naître à jamais le mauvais élève du commencement. Ainsi s'exprimait son amour de mère ; quand je la taquinais sur les délices de l'inquiétude maternelle, elle répondait joliment par une blague à la Woody Allen :

— Que veux-tu, toutes les Juives ne sont pas mères, mais toutes les mères sont juives.

Et, aujourd'hui que ma vieille mère juive n'est plus tout à fait dans le présent, c'est de nouveau cette inquiétude qu'expriment ses yeux quand ils se posent sur son petit dernier de soixante ans. Une inquiétude qui aurait perdu de son intensité, une anxiété fossile, qui n'est plus que l'habitude d'elle-même, mais qui demeure suffisamment vivace pour que Maman me demande, sa main posée sur la mienne, au moment où je la quitte :

— Tu as un appartement, à Paris ?

3

Donc, j'étais un mauvais élève. Chaque soir de mon enfance, je rentrais à la maison poursuivi par l'école. Mes carnets disaient la réprobation de mes maîtres. Quand je n'étais pas le dernier de ma classe, c'est que j'en étais l'avant-dernier. (Champagne!) Fermé à l'arithmétique d'abord, aux mathématiques ensuite, profondément dysorthographique, rétif à la mémorisation des dates et à la localisation des lieux géographiques, inapte à l'apprentissage des langues étrangères, réputé paresseux (leçons non apprises, travail non fait), je rapportais à la maison des résultats pitoyables que ne rachetaient ni la musique, ni le sport, ni d'ailleurs aucune activité parascolaire.

– Tu comprends ? Est-ce que seulement tu *comprends* ce que je t'explique ?

Je ne comprenais pas. Cette inaptitude à comprendre remontait si loin dans mon enfance que la famille avait imaginé une légende pour en dater les origines : mon apprentissage de l'alphabet. J'ai toujours entendu dire qu'il m'avait fallu une année entière pour retenir la lettre *a*. La lettre *a*, en un an. Le désert de mon ignorance commençait au-delà de l'infranchissable *b*.

– Pas de panique, dans vingt-six ans il possédera parfaitement son alphabet.

Ainsi ironisait mon père pour distraire ses propres craintes. Bien des années plus tard, comme je redoublais ma terminale à la poursuite d'un baccalauréat qui m'échappait obstinément, il aura cette formule :

– Ne t'inquiète pas, même pour le bac on finit par acquérir des automatismes...

Ou, en septembre 1968, ma licence de lettres enfin en poche :

– Il t'aura fallu une révolution pour la licence, doit-on craindre une guerre mondiale pour l'agrégation ?

Cela dit sans méchanceté particulière. C'était notre forme de connivence. Nous avons assez vite choisi de sourire, mon père et moi.

Mais revenons à mes débuts. Dernier-né d'une fratrie de quatre, j'étais un cas d'espèce. Mes parents n'avaient pas eu l'occasion de s'entraîner avec mes aînés, dont la scolarité, pour n'être pas exceptionnellement brillante, s'était déroulée sans heurt.

J'étais un objet de stupeur, et de stupeur constante car les années passaient sans apporter la moindre amélioration à mon état d'hébétude scolaire. « Les bras m'en tombent », « Je n'en reviens pas », me sont des exclamations familières, associées à des regards d'adulte où je vois bien que mon incapacité à assimiler quoi que ce soit creuse un abîme d'incrédulité.

Apparemment, tout le monde comprenait plus vite que moi.

– Tu es complètement bouché !

Un après-midi de l'année du bac (une des années du bac), mon père me donnant un cours de trigonométrie dans la pièce qui nous servait de bibliothèque, notre chien se coucha en douce sur le lit, derrière nous. Repéré, il fut sèchement viré :

– Dehors, le chien, dans ton fauteuil !

Cinq minutes plus tard, le chien était de nouveau sur le lit. Il avait juste pris le soin d'aller chercher la vieille couverture qui protégeait son fauteuil et de se coucher sur elle. Admiration générale, bien sûr, et justifiée : qu'un animal pût associer une interdiction à l'idée abstraite de propreté et en tirer la conclusion qu'il fallait faire son lit pour jouir de la compagnie des maîtres, chapeau, évidemment, un authentique *raisonnement* ! Ce fut un sujet de conversation familiale qui traversa les âges. Personnellement, j'en tirai l'enseignement que même le chien de la maison pigeait plus vite que moi. Je crois bien lui avoir murmuré à l'oreille :

– Demain, c'est toi qui vas au bahut, lèche-cul.

4

Deux messieurs d'un certain âge se promènent au bord du Loup, leur rivière d'enfance. Deux frères. Mon frère Bernard et moi. Un demi-siècle plus tôt, ils plongeaient dans cette transparence. Ils nageaient parmi les chevesnes que leur chahut n'effrayait pas. La familiarité des poissons donnait à penser que ce bonheur durerait toujours. La rivière coulait entre des falaises. Quand les deux frères la suivaient jusqu'à la mer, tantôt portés par le courant tantôt crapahutant sur les rochers, il leur arrivait de se perdre de vue. Pour se retrouver, ils avaient appris à siffler entre leurs doigts. De longues stridulations qui se répercutaient contre les parois rocheuses.

Aujourd'hui l'eau a baissé, les poissons ont disparu, une mousse glaireuse et stagnante dit la victoire du détergent sur la nature. Ne demeure de notre enfance que le chant des cigales et la chaleur résineuse du soleil. Et puis, nous savons toujours siffler entre nos doigts ; nous ne nous sommes jamais perdus d'oreille.

J'annonce à Bernard que je songe à écrire un livre

concernant l'école ; non pas l'école qui change dans la société qui change, comme a changé cette rivière, mais, au cœur de cet incessant bouleversement, sur ce qui ne change pas, justement, sur une permanence dont je n'entends jamais parler : *la douleur partagée du cancre, des parents et des professeurs*, l'interaction de ces chagrins d'école.

– Vaste programme... Et comment vas-tu t'y prendre ?

– En te cuisinant, par exemple. Quels souvenirs gardes-tu de ma propre nullité, disons... en math ?

Mon frère Bernard était le seul membre de la famille à pouvoir m'aider dans mon travail scolaire sans que je me verrouille comme une huître. Nous avons partagé la même chambre jusqu'à mon entrée en cinquième, où je fus mis en pension.

– En math ? Ça a commencé avec l'arithmétique, tu sais ! Un jour je t'ai demandé quoi faire d'une fraction que tu avais sous les yeux. Tu m'as répondu automatiquement : « Il faut la réduire au dénominateur commun. » Il n'y avait qu'une fraction, donc un seul dénominateur, mais tu n'en démordais pas : « Faut la réduire au dénominateur commun ! » Comme j'insistais : « Réfléchis un peu, Daniel il n'y a là *qu'une seule* fraction, donc *un seul* dénominateur », tu t'es foutu en rogne : « C'est le prof qui l'a dit ; les fractions, faut les réduire au dénominateur commun ! »

Et les deux messieurs de sourire, le long de leur promenade. Tout cela est très loin derrière eux. L'un d'eux a été professeur pendant vingt-cinq ans : deux mille cinq cents élèves, à peu près, dont un certain nombre en « grande difficulté », selon l'expression consacrée. Et tous deux sont pères de famille. « Le prof a dit que... », ils connaissent. L'espoir placé par le cancre dans la litanie, oui... Les mots du professeur ne sont que des bois flottants auxquels le mauvais élève s'accroche sur une rivière dont le courant l'entraîne vers les grandes chutes. Il répète ce qu'a dit le prof. Pas pour que ça ait du sens, pas pour que la règle s'incarne, non, pour être tiré d'affaire, momentanément, pour qu'« on me lâche ». Ou qu'on m'aime. À tout prix.

– ...

– Un livre de plus sur l'école, alors ? Tu trouves qu'il n'y en a pas assez ?

– Pas sur l'école ! Tout le monde s'occupe de l'école, éternelle querelle des anciens et des modernes : ses programmes, son rôle social, ses finalités, l'école d'hier, celle de demain... Non, un livre sur le cancre ! *Sur la douleur de ne pas comprendre*, et ses dégâts collatéraux.

– ...

– Tu en as bavé tant que ça ?

– ...

– ...

– Peux-tu me dire autre chose sur le cancre que j'étais ?

– Tu te plaignais de ne pas avoir de mémoire. Les leçons que je te faisais apprendre le soir s'évaporaient dans la nuit. Le lendemain matin tu avais tout oublié.

Le fait est. Je n'imprimais pas, comme disent les

22

jeunes gens d'aujourd'hui. Je ne captais ni n'imprimais. Les mots les plus simples perdaient leur substance dès qu'on me demandait de les envisager comme objet de connaissance. Si je devais apprendre une leçon sur le massif du Jura, par exemple (plus qu'un exemple, c'est, en l'occurrence, un souvenir très précis), ce petit mot de deux syllabes se décomposait aussitôt jusqu'à perdre tout rapport avec la Franche-Comté, l'Ain, l'horlogerie, les vignobles, les pipes, l'altitude, les vaches, les rigueurs de l'hiver, la suisse frontalière, le massif alpin ou la simple montagne. Il ne représentait plus rien. Jura, me disais-je, Jura ? Jura... Et je répétais le mot, inlassablement, comme un enfant qui n'en finit pas de mâcher, mâcher et ne pas avaler, répéter et ne pas assimiler, jusqu'à la totale décomposition du goût et du sens, mâcher, répéter, Jura, Jura, jura, jura, jus, rat, jus, ra ju ra ju ra jurajurajura, jusqu'à ce que le mot devienne une masse sonore indéfinie, sans le plus petit reliquat de sens, un bruit pâteux d'ivrogne dans une cervelle spongieuse... C'est ainsi qu'on s'endort sur une leçon de géographie.

– Tu prétendais détester les majuscules.

Ah ! Terribles sentinelles, les majuscules ! Il me semblait qu'elles se dressaient entre les noms propres et moi pour m'en interdire la fréquentation. Tout mot frappé d'une majuscule était voué à l'oubli instantané : villes, fleuves, batailles, héros, traités, poètes, galaxies, théorèmes, interdits de mémoire pour cause de majuscule tétanisante. Halte là, s'exclamait la majuscule, on ne franchit pas la porte de ce nom, il est trop *propre*, on n'en est pas digne, on est un crétin !

Précision de Bernard, le long de notre chemin :

– Un crétin minuscule !

Rire des deux frères.

– Et plus tard, rebelote avec les langues étrangères : je ne pouvais pas m'ôter de l'idée qu'il s'y disait des choses trop intelligentes pour moi.

– Ce qui te dispensait d'apprendre tes listes de vocabulaire.

– Les mots d'anglais étaient aussi volatils que les noms propres…

– …

– …

– Tu te racontais des histoires, en somme.

Oui, c'est le propre des cancres, ils se racontent en boucle l'histoire de leur cancrerie : je suis nul, je n'y arriverai jamais, même pas la peine d'essayer, c'est foutu d'avance, je vous l'avais bien dit, l'école n'est pas faite pour moi… L'école leur paraît un club très fermé dont ils s'interdisent l'entrée. Avec l'aide de quelques professeurs, parfois.

– …

– …

Deux messieurs d'un certain âge se promènent le long d'une rivière. En bout de promenade ils tombent sur un plan d'eau cerné de roseaux et de galets.

Bernard demande :

– Tu es toujours aussi bon, en ricochets ?

5

Bien entendu se pose la question de la cause origi-
nelle. D'où venait ma cancrerie ? Enfant de bourgeoisie d'État, issu d'une famille aimante, sans conflit,
entouré d'adultes responsables qui m'aidaient à faire
mes devoirs... Père polytechnicien, mère au foyer,
pas de divorce, pas d'alcooliques, pas de caractériels,
pas de tares héréditaires, trois frères bacheliers (des
matheux, bientôt deux ingénieurs et un officier),
rythme familial régulier, nourriture saine, bibliothèque à la maison, culture ambiante conforme au
milieu et à l'époque (père et mère nés avant 1914) :
peinture jusqu'aux impressionnistes, poésie jusqu'à
Mallarmé, musique jusqu'à Debussy, romans russes,
l'inévitable période Teilhard de Chardin, Joyce et
Cioran pour toute audace... Propos de table calmes,
rieurs et cultivés.

Et pourtant, un cancre.

Pas d'explication non plus à tirer de l'historique
familial. C'est une progression sociale en trois générations grâce à l'école laïque, gratuite et obligatoire,
ascension républicaine en somme, victoire à la Jules

Ferry... Un autre Jules, l'oncle de mon père, l'Oncle, Jules Pennacchioni, mena au certificat d'études les enfants de Guargualé et de Pila-Canale, les villages corses de la famille ; on lui doit des générations d'instituteurs, de facteurs, de gendarmes, et autres fonctionnaires de la France coloniale ou métropolitaine... (peut-être aussi quelques bandits, mais il en aura fait des lecteurs). L'Oncle, dit-on, faisait faire des dictées et des exercices de calcul à tout le monde et en toutes circonstances ; on dit aussi qu'il allait jusqu'à enlever les enfants que leurs parents obligeaient à sécher l'école pendant la cueillette des châtaignes. Il les récupérait dans le maquis, les ramenait chez lui et prévenait le père esclavagiste :

– Je te rendrai ton garçon quand il aura son certificat !

Si c'est une légende, je l'aime. Je ne crois pas qu'on puisse concevoir autrement le métier de professeur. Tout le mal qu'on dit de l'école nous cache le nombre d'enfants qu'elle a sauvés des tares, des préjugés, de la morgue, de l'ignorance, de la bêtise, de la cupidité, de l'immobilité ou du fatalisme des familles.

Tel était l'Oncle.

Pourtant, trois générations plus tard, moi, le cancre !

La honte de l'Oncle, s'il avait su... Par bonheur, il mourut avant de me voir naître.

Non seulement mes antécédents m'interdisaient toute cancrerie mais, dernier représentant d'une lignée de plus en plus diplômée, j'étais socialement programmé pour devenir le fleuron de la famille :

polytechnicien ou normalien, énarque évidemment, la Cour des comptes, un ministère, va savoir... On ne pouvait espérer moins. Là-dessus, un mariage efficace et la mise au monde d'enfants destinés dès le berceau à la taupe de Louis-le-Grand et propulsés vers le trône de l'Élysée ou la direction d'un consortium mondial de la cosmétique. La routine du darwinisme social, la reproduction des élites...

Eh bien non, un cancre.

Un cancre sans fondement historique, sans raison sociologique, sans désamour : un cancre en soi. Un cancre étalon. Une unité de mesure.

Pourquoi ?

La réponse gît peut-être dans le cabinet des psychologues, mais ce n'était pas encore l'époque du psychologue scolaire envisagé comme substitut familial. On faisait avec les moyens du bord.

Bernard, de son côté, proposait son explication :

– À six ans, tu es tombé dans la poubelle municipale de Djibouti.

– Six ans ? L'année du *a* ?

– Oui. C'était une décharge à ciel ouvert, en fait. Tu y es tombé du haut d'un mur. Je ne me rappelle pas combien de temps tu y as macéré. Tu avais disparu, on te cherchait partout, et tu te débattais là-dedans sous un soleil qui devait avoisiner les soixante degrés. Je préfère ne pas imaginer à quoi ça ressemblait.

L'image de la poubelle, tout compte fait, convient assez à ce sentiment de déchet que ressent l'élève perdu pour l'école. « Poubelle » est d'ailleurs un terme que j'ai entendu prononcer plusieurs fois pour qualifier ces boîtes privées hors contrat qui acceptent (à quel prix ?) de recueillir les rebuts du collège. J'y ai vécu de la cinquième à la première, pensionnaire. Et parmi tous les professeurs que j'y ai subis, quatre m'ont sauvé.

– Quand on t'a sorti de ce tas d'ordures, tu as fait une septicémie ; on t'a piqué à la pénicilline pendant des mois. Ça te faisait un mal de chien, tu mourais de trouille. Quand l'infirmier se pointait on passait des heures à te chercher dans la maison. Un jour tu t'es caché dans une armoire qui t'est tombée dessus.

Peur de la piqûre, voilà une métaphore parlante : toute ma scolarité passée à fuir des professeurs envisagés comme des Diafoirus armés de seringues gigantesques et chargés de m'inoculer cette brûlure épaisse, la pénicilline des années cinquante – dont je me souviens *très* bien –, une sorte de plomb fondu qu'ils injectaient dans un corps d'enfant.

En tout cas, oui, la peur fut bel et bien la grande affaire de ma scolarité ; son verrou. Et l'urgence du professeur que je devins fut de soigner la peur de mes plus mauvais élèves pour faire sauter ce verrou, que le savoir ait une chance de passer.

6

Je fais un rêve. Pas un rêve d'enfant, un rêve d'aujourd'hui, pendant que j'écris ce livre. Juste après le chapitre précédent, à vrai dire. Je suis assis, en pyjama, au bord de mon lit. De gros chiffres en plastique, comme ceux avec lesquels jouent les petits enfants, sont éparpillés sur le tapis, devant moi. Je dois « mettre ces chiffres en ordre ». C'est l'énoncé. L'opération me paraît facile, je suis content. Je me penche et tends les bras vers ces chiffres. Et je m'aperçois que mes mains ont disparu. Il n'y a plus de mains au bout de mon pyjama. Mes manches sont vides. Ce n'est pas la disparition de mes mains qui m'affole, c'est de ne pas pouvoir atteindre ces chiffres pour les mettre en ordre. Ce que j'aurais su faire.

7

Pourtant, extérieurement, sans être agité, j'étais un enfant vif et joueur. Habile aux billes et aux osselets, imbattable au ballon prisonnier, champion du monde de polochon, je jouais. Plutôt bavard et rieur, farceur même, je me faisais des amis à tous les étages de la classe, des cancres certes, mais des têtes de série aussi – je n'avais pas de préjugés. Plus que tout, certains professeurs me reprochaient cette gaieté. C'était ajouter l'insolence à la nullité. La moindre des politesses, pour un cancre, c'est d'être discret : mort-né serait l'idéal. Seulement, ma vitalité m'était vitale, si je puis dire. Le jeu me sauvait du chagrin qui m'envahissait dès que je retombais dans ma honte solitaire. Mon Dieu, cette solitude du cancre dans la honte de ne jamais *faire ce qu'il faut* ! Et cette envie de fuir... J'ai ressenti très tôt l'envie de fuir. Pour où ? Assez confus. Fuir de moi-même, disons, et pourtant en moi-même. Mais un moi qui aurait été acceptable par les autres. C'est sans doute à cette envie de fuir que je dois l'étrange écriture qui précéda mon écriture. Au lieu de former les lettres de l'alphabet, je dessinais des petits bonshommes qui s'enfuyaient en marge pour s'y constituer en bande. Je m'appliquais, pourtant, au début, j'ourlais mes lettres tant bien que mal, mais peu à peu les lettres se métamorphosaient d'elles-mêmes en ces petits êtres sautillants et joyeux qui s'en allaient folâtrer ailleurs, idéogrammes de mon besoin de vivre :

Aujourd'hui encore j'utilise ces bonshommes dans mes dédicaces. Ils me sont précieux pour couper à la recherche de la platitude distinguée qu'on se doit d'écrire sur la page de garde des services de presse. C'est la bande de mon enfance, je lui reste fidèle.

8

Adolescent, j'ai rêvé d'une bande plus réelle. Ce n'était pas l'époque, ce n'était pas de mon milieu, mon environnement ne m'en donnait pas la possibilité, mais aujourd'hui encore, je le dis résolument, si j'avais eu l'occasion de me constituer en bande, je l'aurais fait. Et avec quelle joie ! Mes camarades de jeu ne me suffisaient pas. Je n'existais pour eux qu'à la récréation ; en classe je me sentais compromettant. Ah ! me fondre dans une bande où la scolarité n'aurait compté pour rien, quel rêve ! Ce qui fait l'attrait de la bande ? S'y dissoudre avec la sensation de s'y affirmer. La belle illusion d'identité ! Tout pour oublier ce sentiment d'étrangeté absolue à l'univers scolaire, et fuir ces regards d'adulte dédain. Tellement convergents, ces regards ! Opposer un sentiment de communauté à cette perpétuelle solitude, un ailleurs à cet ici, un territoire à cette prison. Quitter l'île du cancre à tout prix, fût-ce sur un bateau de pirates où ne régnerait que la loi du poing et qui mènerait, au mieux, en prison. Je les sentais tellement plus forts que moi, les autres, les professeurs, les adultes, et d'une force tellement plus écrasante que le poing, si admise, si légale, qu'il m'arrivait d'en éprouver un besoin de vengeance proche de l'obsession. (Quatre décennies plus tard, l'expression « avoir la haine » ne me surprit pas quand elle apparut dans la bouche de certains adolescents. Multipliée par quantité de facteurs nouveaux, sociologiques, culturels, économiques, elle exprimait encore ce besoin de vengeance qui m'avait été si familier.) Par bonheur, mes camarades de jeu n'étaient pas de ceux qui se constituent en bande, et je n'étais originaire d'aucune cité. Je fus donc une bande de jeunes à moi tout seul, comme dit la chanson de Renaud, une bande bien modeste, où je pratiquais en solitaire des représailles plutôt sournoises. Ces langues de bœufs, par exemple (une centaine), prélevées nuitamment aux conserves de la cantine et que j'avais clouées à la porte d'un intendant parce qu'il nous les servait deux fois par semaine et que nous les retrouvions le lendemain dans nos assiettes si nous ne les avions pas mangées. Ou ce hareng saur ficelé au pot d'échappement de la toute neuve voiture d'un professeur d'anglais (c'était une Ariane, je me la rappelle, le flanc des pneus blanc comme des chaussures de maquereau...), qui se mit à puer inexplicablement le poisson grillé au point que, les premiers jours, son propriétaire lui-même empestait la poiscaille en entrant dans la classe. Ou encore cette trentaine de poules, chipées dans les fermes avoisinant mon pensionnat de montagne, pour remplir la chambre du surveillant général pendant toute la durée du week-end où il m'avait consigné. Quel magnifique poulailler devint cette piaule en trois jours seulement : fientes et plumes collées, et la paille pour faire plus vrai, et les œufs cassés un peu partout, et le maïs généreusement distribué par là-dessus ! Sans parler de l'odeur ! Ah, la jolie fête quand le chef des pions, ouvrant benoîtement la porte de sa chambre, libéra dans les couloirs les prisonnières affolées que chacun se mit à poursuivre pour son propre compte !

C'était idiot, bien sûr, idiot, méchant, répréhensible, impardonnable... Et inefficace, avec ça : le genre de sévices qui n'améliore pas le caractère du corps enseignant... Pourtant, je mourrai sans arriver à regretter mes poules, mon hareng et mes pauvres bœufs à la langue tranchée. Avec mes petits bonshommes fous, ils faisaient partie de ma bande.

9

Une constante pédagogique : à de rares exceptions près, le vengeur solitaire (ou le chahuteur sournois, c'est une question de point de vue) ne se dénonce jamais. Si un autre que lui a fait le coup, il ne le dénonce pas davantage. Solidarité ? Pas sûr. Une sorte de volupté, plutôt, à voir l'autorité s'épuiser en enquêtes stériles. Que tous les élèves soient punis – privés de ceci ou de cela – jusqu'à ce que le coupable se livre ne l'émeut pas. Bien au contraire, on lui fournit par là l'occasion de se sentir partie prenante de la communauté, enfin ! Il s'associe à tous pour juger « dégueulasse » de faire « payer » tant d'« innocents » à la place d'un seul « coupable ». Stupéfiante sincérité ! Le fait qu'il soit le coupable en question n'entre plus, à ses yeux, en ligne de compte. En punissant tout le monde l'autorité lui a permis de changer de registre : nous ne sommes plus dans l'ordre des faits, qui regarde l'enquête, mais sur le terrain des principes ; or, en bon adolescent qu'il est, l'équité est un principe sur lequel il ne transige pas.

– Ils ne trouvent pas qui c'est, alors ils nous font tous payer, c'est dégueulasse !

Qu'on le traite de lâche, de voleur, de menteur ou de quoi que ce soit d'autre, qu'un procureur tonitruant déclare publiquement tout le mépris où il tient les affreux de son espèce qui « n'ont pas le courage de leurs actes » ne le touche guère. D'abord parce qu'il n'entend là que la confirmation de ce qu'on lui a mille fois répété et qu'il est d'accord sur ce point avec le procureur (c'est même un plaisir rare, cet accord secret : « Oui, tu as raison, je suis bien le méchant que tu dis, pire même, si tu savais… ») et ensuite parce que le courage d'aller accrocher les trois soutanes du préfet de discipline au sommet du paratonnerre, par exemple, ce n'est pas le procureur qui l'a eu, ni aucun autre élève ici présent, c'est bien lui, et lui seul, au plus noir de la nuit, lui dans sa nocturne et désormais glorieuse solitude. Pendant quelques heures, les soutanes ont fait au collège un noir drapeau de pirate et personne, jamais, ne saura qui a hissé ce pavillon grotesque.

Et si on accuse quelqu'un d'autre à sa place, ma foi, il se tait encore, car il connaît son monde et sait très bien (avec Claudel, qu'il ne lira pourtant jamais) qu'« on peut aussi mériter l'injustice ».

Il ne se dénonce pas. C'est qu'il s'est fait une raison de sa solitude et qu'il a enfin cessé d'avoir peur. Il ne baisse plus les yeux. Regardez-le, il est le coupable au regard candide. Il a enfoui dans son silence ce plaisir unique : *personne ne saura, jamais* ! Quand on se sent de nulle part, on a tendance à se faire des serments à soi-même.

Mais ce qu'il éprouve, par-dessus tout, c'est la joie sombre d'être devenu incompréhensible aux nantis du savoir qui lui reprochent de ne rien comprendre à rien. Il s'est découvert une aptitude, en somme : faire peur à ceux qui l'effrayaient ; il en jouit intensément. Personne ne sait ce dont il est *capable*, et c'est bon.

La naissance de la délinquance, c'est l'investissement secret de toutes les facultés de l'intelligence dans la ruse.

10

Mais on se ferait une fausse idée de l'élève que j'étais si on s'en tenait à ces représailles clandestines. (D'ailleurs, les trois soutanes, ce n'était pas moi.) Le cancre joyeux, ourdissant nuitamment des coups de main vengeurs, l'invisible Zorro des châtiments enfantins, j'aimerais pouvoir m'en tenir à cette image d'Épinal, seulement j'étais aussi – et surtout – un gosse prêt à toutes les compromissions pour un regard d'adulte bienveillant. Quémander en douce l'assentiment des professeurs et coller à tous les conformismes : oui, monsieur, vous avez raison, oui... hein, monsieur, que je ne suis pas si bête, pas si méchant, pas si décevant, pas si... Oh ! l'humiliation quand l'autre me renvoyait, d'une phrase sèche, à mon indignité. Oh ! l'abject sentiment de bonheur quand, au contraire, il y allait de deux mots vaguement gentils que j'engrangeais aussitôt comme un trésor d'humanité... Et comme je me précipitais, le soir même, pour en parler à mes parents : « J'ai eu une bonne conversation avec monsieur Untel... » (comme s'il s'agissait d'avoir une bonne conversation, devait se dire mon père, à juste titre...).

Longtemps, j'ai traîné derrière moi la trace de cette honte.

La haine et le besoin d'affection m'avaient pris tout ensemble dès mes premiers échecs. Il s'agissait d'amadouer l'ogre scolaire. Tout faire pour qu'il ne me dévore pas le cœur. Collaborer, par exemple, au cadeau d'anniversaire de ce professeur de sixième qui, pourtant, notait mes dictées négativement : « Moins 38, Pennacchioni, la température est de plus en plus basse ! » Me creuser la tête pour choisir ce qui ferait vraiment plaisir à ce salaud, organiser la quête parmi les élèves et fournir moi-même le complément, vu que le prix de l'affreuse merveille dépassait le montant de la cagnotte.

Il y avait des coffres-forts dans les maisons bourgeoises de l'époque. J'entrepris de crocheter celui de mes parents pour participer au cadeau de mon tortionnaire. C'était un de ces petits coffres sombres et trapus, où dorment les secrets de famille. Une clef, une molette à chiffres, une autre à lettres. Je savais où mes parents rangeaient la clef mais il me fallut plusieurs nuits pour trouver la combinaison. Molette, clef, porte close. Molette, clef, porte close. Porte close. Porte close. On se dit qu'on n'y arrivera jamais. Et voilà que soudain, déclic, la porte s'ouvre ! On en reste sidéré. Une porte ouverte sur le monde secret des adultes. Secrets bien sages en l'occurrence : quelques obligations, je suppose, des emprunts russes qui dormaient là en espérant leur résurrection, le pistolet d'ordonnance d'un grand-oncle, dont le chargeur était plein mais dont on avait limé le percuteur, et de l'argent aussi, pas beaucoup, quelques billets, d'où je prélevai la dîme nécessaire au financement du cadeau.

Voler pour acheter l'affection des adultes... Ce n'était pas exactement du vol et ça n'acheta évidemment aucune affection. Le pot aux roses fut découvert lorsque, durant cette même année, j'offris à ma mère un de ces affreux jardins japonais qui étaient alors à la mode et qui coûtaient les yeux de la tête.

L'événement eut trois conséquences : ma mère pleura (ce qui était rare), persuadée d'avoir mis au monde un perceur de coffres (le seul domaine où son dernier-né manifestait une indiscutable précocité), on me mit en pension, et ma vie durant je fus incapable de faucher quoi que ce soit, même quand le vol devint culturellement à la mode chez les jeunes gens de ma génération.

11

À tous ceux qui aujourd'hui imputent la constitution de bandes au seul phénomène des banlieues, je dis : vous avez raison, oui, le chômage, oui, la concentration des exclus, oui, les regroupements ethniques, oui, la tyrannie des marques, la famille monoparentale, oui, le développement d'une économie parallèle et les trafics en tout genre, oui, oui, oui... Mais gardons-nous de sous-estimer la seule chose sur laquelle nous pouvons personnellement agir et qui, elle, date de la nuit des temps pédagogiques : la solitude et la honte de l'élève qui ne comprend pas, perdu dans un monde où tous les autres comprennent.

Nous seuls pouvons le sortir de cette prison-là, que nous soyons ou non formés pour cela.

Les professeurs qui m'ont sauvé – et qui ont fait de moi un professeur – n'étaient pas formés pour ça. Ils ne se sont pas préoccupés des origines de mon infirmité scolaire. Ils n'ont pas perdu de temps à en chercher les causes et pas davantage à me sermonner. Ils étaient des adultes confrontés à des adolescents en péril. Ils se sont dit qu'il y avait urgence. Ils ont plongé.

Ils m'ont raté. Ils ont plongé de nouveau, jour après jour, encore et encore... Ils ont fini par me sortir de là. Et beaucoup d'autres avec moi. Ils nous ont littéralement repêchés. Nous leur devons la vie.

12

Je fouille le fatras de mes vieux papiers à la recherche de mes bulletins scolaires et de mes diplômes, et je tombe sur une lettre conservée par ma mère. Elle est datée de février 1959.

J'avais quatorze ans depuis trois mois. J'étais en quatrième. Je lui écrivais de ma première pension :

Ma chère Maman,

Moi aussi j'ai vu mes notes, je suis écœuré, j'en ai plein le dot [sic]*, quand on en est venu au point de travailler 2 h sans arrêt pendant une étude pour récolter un 1 à un devoir d'algèbre que l'on croillait* [sic] *bon il y a de quoi être découragé, aussi ais-je* [sic] *tout laché* [sic] *pour réviser mes examens et mon 4 en application explique sûrement la révision de mon examen de géologie pendant mon cour* [sic] *de math,*
[etc.]
Je ne suis pas assez intelligent et travailleur pour continuer mes études. Ça ne m'intéresse pas, j'attrape mal au crane [sic] *à rester enfermer* [sic] *dans la pape-*

rasse, je ne comprend [sic] *rien à l'anglais, à l'algèbre, je suis nule* [sic] *en orthographe, que reste-t-il ?*

Marie-Thé, coiffeuse de notre village – La Colle-sur-Loup –, mon amie aînée depuis ma prime enfance, m'avouait récemment que ma mère, s'épanchant sous le casque, lui avait confié son inquiétude quant à mon avenir, un peu soulagée, disait-elle, d'avoir obtenu de mes frères la promesse qu'ils prendraient soin de moi après sa disparition et celle de mon père.

Toujours dans la même lettre, j'écrivais : « *Vous avez eu trois fils intelligents et travailleurs... un autre un cancre, un féniant* » *(sic)...* Suivait une étude comparée des performances de mes frères et des miennes et une vigoureuse supplique pour qu'on arrête le massacre, qu'on me retire de l'école et qu'on m'envoie « *aux colonies* » (famille de militaires), « *dans un petit blède* [sic] *et là se serait* [sic] *le seul endroit où je serais* [sic] *heureux* » (souligné deux fois). L'exil, au bout du monde en somme, le pis-aller du rêve, un projet de fuite à la Bardamu chez un fils de soldat.

Dix ans plus tard, le 30 septembre 1969, je recevais une lettre de mon père, adressée au collège où j'exerçais depuis un mois le métier de professeur. C'était mon premier poste et c'était sa première lettre au fils *devenu.* Il sortait de l'hôpital, il me disait les douceurs de la convalescence, ses lentes promenades avec notre chien, me donnait des nouvelles de la famille, m'annonçait le possible mariage de ma cousine à Stockholm, faisait de discrètes allusions à un projet de roman dont nous avions parlé ensemble (et que je n'ai toujours pas écrit), manifestait une vive curiosité à l'égard de ce que mes collègues et moi échangions dans nos propos de table, attendait l'arrivée par la poste de *La loge du gouverneur* d'Angelo Rinaldi en pestant contre la grève des postiers, vantait *L'attrape-cœur* de Salinger et *Le jardin des délices* de José Cabanis, excusait ma mère de ne pas m'écrire (« plus fatiguée que moi de m'avoir soigné »), m'annonçait qu'il avait prêté la roue de secours de notre 2 CV à mon amie Fanchon (« Bernard s'est fait un plaisir de la lui changer »), et m'embrassait en m'assurant de sa bonne forme.

Pas plus qu'il ne m'avait menacé d'un avenir calamiteux pendant ma scolarité, il ne faisait la moindre allusion à mon passé de cancre. Sur la plupart des sujets son ton était comme à l'habitude pudiquement ironique, et il ne semblait pas considérer que mon nouvel état de professeur méritât qu'on s'en étonne, qu'on m'en félicite, ou qu'on s'en inquiète pour mes élèves.

Bref, mon père tel qu'en lui-même, ironiste et sage, désireux de bavarder avec moi, à distance respectable, de la vie qui se continuait.

J'ai l'enveloppe de cette lettre sous les yeux.

Aujourd'hui seulement un détail me frappe.

Il ne s'était pas contenté d'écrire mon nom, le nom du collège, celui de la rue et de la ville...

Il y avait ajouté la mention : *professeur*.

Daniel Pennacchioni
professeur au collège...

Professeur...
De son écriture si exacte.
Il m'aura fallu une existence entière pour entendre
ce hurlement de joie – et ce soupir de soulagement.

II

DEVENIR

*J'ai douze ans et demi
et je n'ai rien fait*

1

Nous entrons, pendant que j'écris ces lignes, dans la saison des appels au secours. Dès le mois de mars le téléphone sonne à la maison plus souvent que d'habitude : amis éperdus cherchant une nouvelle école pour un enfant en échec, cousins désespérés en quête d'une énième boîte après un énième renvoi, voisins contestant l'efficacité d'un redoublement, inconnus qui pourtant me connaissent, ils tiennent mon téléphone d'Untel...

Ce sont des appels du soir généralement, vers la fin du dîner, l'heure de la détresse. Des appels de mères le plus souvent. De fait rarement le père, le père vient après, quand il vient, mais à l'origine, au premier coup de téléphone, c'est toujours la mère, et presque toujours pour le fils. La fille semble plus sage.

On est la mère. On est seule à la maison, repas expédié, vaisselle pas faite, le bulletin du garçon étalé devant soi, le garçon enfermé à double tour dans sa chambre devant son jeu vidéo, ou déjà dehors, en vadrouille avec sa bande, malgré une timide interdiction... On est seule, la main sur le téléphone, on hésite. Expliquer pour la énième fois le cas du fils, faire une fois de plus l'historique de ses échecs, cette fatigue, mon Dieu... Et la perspective de l'épuisement à venir : démarcher cette année encore les écoles qui voudront bien de lui... poser une journée de congé au bureau, au magasin... visites aux chefs d'établissement... barrages des secrétariats... dossiers à remplir... attente de la réponse... entretiens... avec le fils, sans le fils... tests... attente des résultats... documentation... incertitudes, cette école est-elle meilleure que cette autre ? (Car en matière d'école la question de l'excellence se pose au sommet de l'échelle comme au fond des abysses, la meilleure école pour les meilleurs élèves et la meilleure pour les naufragés, tout est là...) On appelle enfin. On s'excuse de vous déranger, on sait à quel point vous devez être sollicité mais voilà on a un garçon qui, vraiment, dont on ne sait plus comment...

Professeurs, mes frères, je vous en supplie, pensez à vos collègues quand, dans le silence de la salle des profs, vous écrivez sur vos bulletins que « le troisième trimestre sera déterminant ». Sonnerie instantanée de mon téléphone :

– Le troisième trimestre, tu parles ! Leur décision est déjà prise depuis le début, oui.

– Le troisième trimestre, le troisième trimestre, ça ne l'émeut pas du tout, ce gosse, la menace du troisième trimestre, il n'a jamais eu *un seul* trimestre convenable !

– Le troisième trimestre... Comment voulez-vous qu'il remonte un pareil handicap en si peu de temps ?

Ils savent bien que c'est un gruyère, leur troisième trimestre, avec toutes ces vacances !

– S'ils refusent le passage, cette fois je fais appel !

– De toute façon, aujourd'hui il faut s'y prendre de plus en plus tôt pour trouver une école...

Et ça dure jusqu'à la fin du mois de juin, quand il est avéré que le troisième trimestre a bel et bien été déterminant, qu'on n'acceptera pas le rejeton dans la classe supérieure et qu'il est effectivement trop tard pour chercher une nouvelle école, tout le monde s'y étant pris avant soi, mais que voulez-vous, on a voulu y croire jusqu'au bout, on s'est dit que cette fois peut-être le gosse comprendrait, il s'était bien repris au troisième trimestre, si, si, je vous assure, il faisait des efforts, beaucoup moins d'absences...

2

Il y a la mère perdue, épuisée par la dérive de son enfant, évoquant les effets supposés des désastres conjugaux : c'est notre séparation qui l'a... depuis la mort de son père, il n'est plus tout à fait... Il y a la mère humiliée par les conseils des amies dont les enfants, eux, marchent bien, ou qui, pire, évitent le sujet avec une discrétion presque insultante... Il y a la mère furibarde, convaincue que son garçon est depuis toujours l'innocente victime d'une coalition enseignante, toutes disciplines confondues, ça a commencé très tôt, à la maternelle, il avait une institutrice qui... et ça ne s'est pas du tout arrangé au CP, l'instit, un homme cette fois, était pire, et figurez-vous que son professeur de français, en quatrième, lui a... Il y a celle qui n'en fait pas une question de personne mais vitupère la société telle qu'elle se délite, l'institution telle qu'elle sombre, le système tel qu'il pourrit, le réel en somme, tel qu'il n'épouse pas son rêve... Il y a la mère furieuse contre son enfant : ce garçon qui a tout et ne fait rien, ce garçon qui ne fait rien et veut tout, ce garçon pour qui on a tout fait et qui jamais ne... pas une seule fois, vous m'entendez ! Il y a la mère qui n'a pas rencontré un seul professeur de l'année et celle qui a fait leur siège à tous... Il y a la mère qui vous téléphone tout simplement pour que vous la débarrassiez cette année encore d'un fils dont elle ne veut plus entendre parler jusqu'à l'année prochaine même date, même heure, même coup de téléphone, et qui le dit : « On verra l'année prochaine, il faut juste lui trouver une école d'ici là. » Il y a la mère qui craint la réaction du père : « Cette fois mon mari ne le supportera pas » (on a caché la plupart des bulletins de notes au mari en question)... Il y a la mère qui ne comprend pas ce fils si différent de l'autre, qui s'efforce de ne pas l'aimer moins, qui s'ingénie à demeurer la même mère pour ses deux garçons. Il y a la mère, au contraire, qui ne peut s'empêcher de choisir celui-ci (« Pourtant je m'investis entièrement en lui »), au grand dam des frères et sœurs, bien sûr, et qui a utilisé en vain toutes les ressources des aides auxiliaires : sport, psychologie, orthophonie, sophrologie, cures de vitamines, relaxation, homéopathie, thérapie familiale ou individuelle... Il y a la mère versée en psychologie, qui donnant une explication à tout s'étonne qu'on ne trouve jamais de solution à rien, la seule au monde à comprendre son fils, sa fille, les amis de son fils et de sa fille, et dont la perpétuelle jeunesse d'esprit (« N'est-ce pas qu'il faut savoir rester jeune ? ») s'étonne que le monde soit devenu si vieux, tellement inapte à comprendre les jeunes. Il y a la mère qui pleure, elle vous appelle et pleure en silence, et s'excuse de pleurer... un mélange de chagrin, d'inquiétude et de honte... À vrai dire toutes ont un peu honte, et toutes sont inquiètes pour l'avenir de leur garçon : « Mais qu'est-ce qu'il va *devenir* ? » La plupart se font de l'avenir une représentation qui est une projection du présent sur la toile obsédante du futur. Le futur comme un mur où seraient projetées les images démesurément agrandies d'un présent sans espoir, la voilà la grande peur des mères !

3

Elles ignorent qu'elles s'adressent au plus jeune perceur de coffre de sa génération et que si leur représentation de l'avenir était fondée je ne serais pas au téléphone en train de les écouter mais en prison, à compter mes poux, conformément au film que dut projeter ma pauvre maman sur l'écran du futur quand elle apprit que son fils de onze ans pillait les économies de la famille.

Alors, je tente une histoire drôle :

– Connaissez-vous le seul moyen de faire rire le bon Dieu ?

Hésitation au bout du fil.

– Racontez-lui vos projets.

En d'autres termes, pas d'affolement, rien ne se passe comme prévu, c'est la seule chose que nous apprend le futur en devenant du passé.

C'est insuffisant, bien sûr, un sparadrap sur une blessure qui ne cicatrisera pas si facilement, mais je fais avec les moyens du téléphone.

4

Pour être juste, on me parle aussi parfois de bons élèves : la mère méthodique, par exemple, en quête de la meilleure classe préparatoire, comme elle fut, dès la naissance de son enfant, à la recherche de la meilleure maternelle, et qui me suppose aimablement une compétence pour cette pêche en altitude ; ou la mère venue d'un autre monde, première immigration, gardienne de mon immeuble, qui a repéré des dons étranges chez sa fille, or elle a raison, la petite doit poursuivre un cycle long, aucun doute là-dessus, une future agrégée de quelque chose, elle aura même le choix de la matière... (De fait, elle achève aujourd'hui ses études de droit.) Et puis, il y a L. M., agriculteur dans le Vercors, convoqué par l'institutrice du village, vu les résultats époustouflants de son garçon...

– Elle me demande ce que j'aimerais qu'il fasse plus tard.

Il lève son verre à ma santé :

– Vous êtes marrants, vous autres les profs, avec vos questions...

– Alors, qu'est-ce que tu lui as répondu ?

– Qu'est-ce que tu veux que ça réponde, un père ? Le maximum ! Président de la République !

Et il y a l'inverse, un autre père, technicien de surface celui-là, qui veut absolument abréger les études de son garçon pour le mettre au travail, que le gamin « gagne » tout de suite. (« Un salaire de plus dans la famille ça ferait pas de mal ! ») Oui mais voilà, le gamin veut être professeur des écoles justement, instituteur comme on disait naguère, et je trouve que c'est une bonne idée, j'aimerais bien, moi, qu'il entre dans l'enseignement, ce garçon si vif et qui en a tant envie, négocions, négocions, il y va du bonheur des futurs élèves de ce futur collègue...

Allons bon, voilà que je me mets à croire en l'avenir, moi aussi, que je reprends foi en l'école de la république. C'est elle qui a formé mon propre père, après tout, l'école de la république, et à quatre-vingt-dix ans de distance ce garçon ressemble beaucoup à ce que devait être mon père, le petit Corse d'Aurillac, vers l'année 1913, quand son frère aîné se mit au travail pour offrir à son cadet les moyens et le temps de franchir les portes de l'École polytechnique.

Et puis, j'ai toujours encouragé mes amis et mes élèves les plus vivants à devenir professeurs. J'ai toujours pensé que l'école, c'était d'abord les professeurs. Qui donc m'a sauvé de l'école, sinon trois ou quatre professeurs ?

5

Il y a ce père, agacé, qui m'affirme, catégorique :
– Mon fils manque de maturité.
Un homme jeune, strictement assis dans les perpendiculaires de son costume. Droit sur sa chaise, il déclare d'entrée de jeu que son fils manque de maturité. C'est une constatation. Ça n'appelle ni question ni commentaire. Ça exige une solution, point final. Je demande tout de même l'âge du fils en question. Réponse immédiate :
– Onze ans déjà.
C'est un jour où je ne suis pas en forme. Mal dormi, peut-être. Je prends mon front entre mes mains, pour déclarer, finalement, en Raspoutine infaillible :
– J'ai la solution.
Il lève un sourcil. Regard satisfait. Bon, nous sommes entre professionnels. Alors, cette solution ?
Je la lui donne :
– Attendez.
Il n'est pas content. La conversation n'ira pas beaucoup plus loin.

– Ce gosse ne peut tout de même pas passer son temps à jouer !

Le lendemain je croise le même père dans la rue. Même costume, même raideur, même attaché-case. Mais il se déplace en trottinette.

Je jure que c'est vrai.

Aucun avenir.

Des enfants qui *ne deviendront pas*.

Des enfants désespérants.

Écolier, puis collégien, puis lycéen, j'y croyais dur comme fer moi aussi à cette existence sans avenir. C'est même la toute première chose dont un mauvais élève se persuade.

– Avec des notes pareilles qu'est-ce que tu peux espérer ?

– Tu t'imagines que tu vas passer en sixième ? (En cinquième, en quatrième, en troisième, en seconde, en première...)

– Combien de chances, au bac, d'après vous, faites-moi plaisir, calculez vos chances vous-même, sur cent, combien ?

Ou cette directrice de collège, dans un vrai cri de joie :

– Vous, Pennacchioni, le BEPC ? Vous ne l'aurez jamais ! Vous m'entendez ? Jamais !

Elle en vibrait.

En tout cas je ne deviendrai pas comme toi, vieille

folle ! Je ne serai jamais prof, araignée engluée dans ta propre toile, garde-chiourme vissée à ton bureau jusqu'à la fin de tes jours. Jamais ! Nous autres les élèves nous passons, vous, vous restez ! Nous sommes libres et vous en avez pris pour perpète. Nous, les mauvais, nous n'allons nulle part mais au moins nous y allons ! L'estrade ne sera pas l'enclos minable de notre vie !

Mépris pour mépris je me raccrochais à ce méchant réconfort : nous passons, les profs restent ; c'est une conversation fréquente chez les élèves de fond de classe. Les cancres se nourrissent de mots.

J'ignorais alors qu'il arrive aux professeurs de l'éprouver aussi, cette sensation de perpétuité : rabâcher indéfiniment les mêmes cours devant des classes interchangeables, crouler sous le fardeau quotidien des copies (on ne peut pas imaginer Sisyphe heureux avec un paquet de copies !), je ne savais pas que la monotonie est la première raison que les professeurs invoquent quand ils décident de quitter le métier, je ne pouvais pas imaginer que certains d'entre eux souffrent bel et bien de rester assis là, quand passent les élèves... J'ignorais que les professeurs aussi se soucient du futur : décrocher mon agreg, achever ma thèse, passer à la fac, prendre mon envol pour les cimes des classes préparatoires, opter pour la recherche, filer à l'étranger, m'adonner à la création, changer de secteur, laisser enfin tomber ces boutonneux amorphes et vindicatifs qui produisent des tonnes de papier, j'ignorais que lorsque les professeurs ne pensent pas à leur avenir, c'est qu'ils

songent à celui de leurs enfants, aux études supé-
rieures de leur progéniture... Je ne savais pas que la
tête des professeurs est saturée d'avenir. Je ne les
croyais là que pour m'interdire le mien.

Interdit d'avenir.

À force de me l'entendre répéter je m'étais fait une
représentation assez précise de cette vie sans futur.
Ce n'était pas que le temps cesserait de passer, ce
n'était pas que le futur n'existait pas, non, c'était que
j'y serais pareil à ce que j'étais aujourd'hui. Pas le
même, bien sûr, pas comme si le temps n'avait pas
filé, mais comme si les années s'étaient accumulées
sans que rien ne change en moi, comme si mon instant futur menaçait d'être rigoureusement pareil à
mon présent. Or, de quoi était-il fait, mon présent ?
D'un sentiment d'indignité que saturait la somme de
mes instants passés. J'étais une nullité scolaire *et je
n'avais jamais été que cela*. Bien sûr le temps passe-
rait, bien sûr la croissance, bien sûr les événements,
bien sûr la vie, mais je traverserais cette existence
sans aboutir jamais à aucun *résultat*. C'était beaucoup plus qu'une certitude, c'était moi.

De cela, certains enfants se persuadent très vite, et
s'ils ne trouvent personne pour les détromper, comme
on ne peut vivre sans passion ils développent, faute
de mieux, la passion de l'échec.

7

L'avenir, cette étrange menace... Soirée d'hiver. Nathalie dégringole en sanglotant les escaliers du collège. Un chagrin qui tient à se faire entendre. Qui utilise le béton comme caisse de résonance. C'est encore une enfant, son corps pèse son poids d'ancien bébé sur les marches sonnantes de l'escalier. Il est dix-sept heures trente, presque tous les élèves sont partis. Je suis un des derniers professeurs à passer par là. Le tam-tam des pas sur les marches, l'explosion des sanglots : hou-là, chagrin d'école, pense le professeur, disproportion, disproportion, chagrin probablement disproportionné ! Et Nathalie apparaît au bas de l'escalier. Eh bien, Nathalie, eh bien, eh bien, qu'est-ce que c'est que ce chagrin ? Je connais cette élève, je l'ai eue l'année précédente, en sixième. Une enfant incertaine, à rassurer souvent. Qu'est-ce qui se passe, Nathalie ? Résistance de principe : Rien, m'sieur, rien. Alors, c'est beaucoup de bruit pour rien, ma grande ! Redoublement des sanglots, et Nathalie, finalement, d'exposer son malheur entre les hoquets :

– Meu... Meu... Monsieur... je n'a... je n'arrive p...
Je n'arrive pas à c... à comp... Je n'arrive pas à comprendre...

   – À comprendre quoi ? Qu'est-ce que tu n'arrives pas à comprendre ?

   – L'ap... l'ap...
Et brusquement le bouchon saute, ça sort d'un coup :

   – La... proposition-subordonnée-conjonctive-de-concession-et-d'opposition !

Silence.

Ne pas rigoler.

Surtout ne pas rire.

   – La proposition subordonnée conjonctive de concession et d'opposition ? C'est elle qui te met dans un état pareil ?

Soulagement. Le prof se met à penser très vite et très sérieusement à la proposition en question ; comment expliquer à cette élève qu'il n'y a pas de quoi s'en faire une montagne, qu'elle l'utilise sans le savoir, cette fichue proposition (une de mes préférées d'ailleurs, si tant est qu'on puisse préférer une conjonctive à une autre...), la proposition qui rend possibles tous les débats, condition première à la subtilité, dans la sincérité comme dans la mauvaise foi, il faut bien le reconnaître, mais tout de même, pas de tolérance sans concession, ma petite, tout est là, il n'y a qu'à énumérer les conjonctions qui l'introduisent, cette subordonnée : *bien que, quoique, encore que, quelque que,* tu sens bien qu'on s'achemine vers la subtilité après des mots pareils, qu'on va faire la part de la chèvre et du chou, que cette proposition fera de toi une fille mesurée et réfléchie, prête à écouter et à ne pas répondre n'importe quoi, une femme d'arguments, une philosophe peut-être, voilà ce qu'elle va faire de toi, la conjonctive de concession et d'opposition !

Ça y est, le professeur est enclenché : comment consoler une gamine avec une leçon de grammaire ? Voyons voir... Tu as bien cinq minutes, Nathalie, viens ici que je t'explique. Classe vide, assieds-toi, écoute-moi bien, c'est tout simple... Elle s'assied, elle m'écoute, c'est tout simple. Ça y est ? Tu as compris ? Donne-moi un exemple, pour voir. Exemple juste. Elle a compris. Bon. Ça va mieux ? Eh bien ! pas du tout, ça ne va pas mieux du tout, nouvelle crise de larmes, des sanglots gros comme ça, et tout à coup cette phrase, que je n'ai jamais oubliée :

– Vous ne vous rendez pas compte, monsieur, j'ai douze ans et demi, et je n'ai rien fait.

– ...

Rentré chez moi je ressasse la phrase. Qu'est-ce que cette gamine a bien pu vouloir dire ? « Rien fait... » Rien fait de mal en tout cas, innocente Nathalie.

Il me faudra attendre le lendemain soir, renseignements pris, pour apprendre que le père de Nathalie vient de se faire licencier après dix ans de bons et loyaux services en qualité de cadre dans une boîte de je ne sais plus quoi. C'est un des tout premiers cadres licenciés. Nous sommes au milieu des années quatre-vingt ; jusqu'à présent le chômage était de culture ouvrière, si l'on peut dire. Et cet homme, jeune, qui n'a jamais douté de son rôle dans la société, cadre modèle et père attentif (je l'ai vu plusieurs fois l'année précédente, soucieux de sa fille si timide, si peu confiante en elle-même), s'est effondré. Il a dressé un bilan définitif. À la table familiale, il ne cesse de répéter : « J'ai trente-cinq ans et je n'ai rien fait. »

8

Le père de Nathalie inaugurait une époque où l'avenir lui-même serait réputé sans avenir ; une décennie pendant laquelle les élèves allaient se l'entendre répéter tous les jours et sur tous les tons : fini les vaches grasses, mes enfants ! Et fini les amours faciles ! Chômage et sida pour tout le monde, voilà ce qui vous attend. Oui, c'est ce que nous leur avons seriné, parents ou professeurs, pendant les années qui ont suivi, pour les « motiver » davantage. Un discours comme un ciel bouché. Voilà ce qui faisait pleurer la petite Nathalie ; elle éprouvait du chagrin par anticipation, elle pleurait son futur comme un jeune mort. Et elle se sentait bien coupable de le tuer un peu plus tous les jours, avec ses difficultés en grammaire. Il est vrai que, par ailleurs, son professeur avait cru bon lui affirmer qu'elle avait « de l'eau de vaisselle dans le crâne ». De l'eau de vaisselle, Nathalie ? Laisse-moi écouter... J'avais secoué sa petite tête avec une mine de toubib attentif... Non, non, pas de flotte là-dedans, ni de vaisselle... Timide sourire, quand même. Attends un peu... Et j'avais tapoté son crâne, index replié, comme on frappe à une porte... Non, je t'assure, c'est un beau cerveau que j'entends là, Nathalie, exceptionnel même, un très joli son, exactement le son que font les têtes pleines d'idées ! Petit rire, enfin. Quelle tristesse nous leur avons mise à l'âme pendant toutes ces années ! Et comme je préfère le rire de Marcel Aymé, le bon rire vachard de Marcel, quand il vante la sagesse du fils qui a flairé le chômage avant tout le monde :

– Toi, Émile, tu as été rudement plus malin que ton frère. Il faut dire que tu es l'aîné et que tu as plus de connaissance de la vie. En tout cas je n'ai pas d'inquiétude pour toi, tu as su résister à la tentation, et comme tu n'en as jamais foutu un clou te voilà préparé à l'existence qui t'attend. Ce qui est le plus dur pour le chômeur, vois-tu, c'est de ne pas avoir été habitué dès l'enfance à cette vie-là. C'est plus fort que soi, on a dans les mains une démangeaison de travailler. Avec toi, je suis tranquille, tu as un de ces poils dans la main qui ne demande qu'à friser.

– Quand même, protesta Émile, je sais lire presque couramment.

– Et c'est encore une preuve que tu es malin. Sans rien te casser ni prendre de mauvaises habitudes de travail, te voilà capable de suivre le tour de France dans ton journal, et tous les comptes rendus des grandes épreuves sportives qu'on écrit pour la distraction du chômeur. Ah ! Tu seras un homme heureux...

9

Plus de vingt ans ont passé. Aujourd'hui, le chômage est en effet de toutes les cultures, l'avenir professionnel ne sourit plus à grand monde sous nos
latitudes, l'amour ne brille guère et Nathalie doit être
une jeune femme de trente-sept ans (et demi). Et
mère, va savoir. D'une fille de douze ans, peut-être.
Nathalie est-elle chômeuse ou satisfaite de son rôle
social ? Perdue de solitude ou heureuse en amour ?
Femme équilibrée, maîtresse ès concessions et oppositions ? Se répand-elle en désarroi à la table familiale ou songe-t-elle bravement au moral de sa fille
quand la petite franchit la porte de sa classe ?

10

Nos « mauvais élèves » (élèves réputés sans devenir) ne viennent jamais seuls à l'école. C'est un
oignon qui entre dans la classe : quelques couches de
chagrin, de peur, d'inquiétude, de rancœur, de colère,
d'envies inassouvies, de renoncement furieux, accumulées sur fond de passé honteux, de présent menaçant, de futur condamné. Regardez, les voilà qui
arrivent, leur corps en devenir et leur famille dans
leur sac à dos. Le cours ne peut vraiment commencer qu'une fois le fardeau posé à terre et l'oignon
épluché. Difficile d'expliquer cela, mais un seul regard
suffit souvent, une parole bienveillante, un mot
d'adulte confiant, clair et stable, pour dissoudre ces
chagrins, alléger ces esprits, les installer dans un présent rigoureusement indicatif.

Naturellement le bienfait sera provisoire, l'oignon
se recomposera à la sortie et sans doute faudra-t-il
recommencer demain. Mais c'est cela, enseigner :
c'est recommencer jusqu'à notre nécessaire disparition de professeur. Si nous échouons à installer nos
élèves dans l'indicatif présent de notre cours, si notre

savoir et le goût de son usage ne prennent pas sur ces garçons et sur ces filles, au sens botanique du verbe, leur existence tanguera sur les fondrières d'un manque indéfini. Bien sûr nous n'aurons pas été les seuls à creuser ces galeries ou à ne pas avoir su les combler, mais ces femmes et ces hommes auront tout de même passé une ou plusieurs années de leur jeunesse, là, assis en face de nous. Et ce n'est pas rien, une année de scolarité fichue : c'est l'éternité dans un bocal.

11

Il faudrait inventer un temps particulier pour l'apprentissage. Le *présent d'incarnation*, par exemple. Je suis ici, dans cette classe, et je comprends, enfin ! Ça y est ! Mon cerveau diffuse dans mon corps : ça *s'incarne*.

Quand ce n'est pas le cas, quand je n'y comprends rien, je me délite sur place, je me désintègre dans ce temps qui ne passe pas, je tombe en poussière et le moindre souffle m'éparpille.

Seulement, pour que la connaissance ait une chance de s'incarner dans le présent d'un cours, il faut cesser d'y brandir le passé comme une honte et l'avenir comme un châtiment.

12

À propos, que deviennent-ils, ceux qui sont *devenus* ?
F. est mort quelques mois après sa mise à la retraite.
J. s'est jeté par la fenêtre la veille de la sienne. G. fait
une dépression nerveuse. Tel autre en sort à peine.
Les médecins de J. F. datent le début de son Alzhei-
mer de la première année de sa retraite anticipée.
Ceux de P. B. aussi. La pauvre L. pleure toutes les
larmes de son corps pour avoir été licenciée du groupe
de presse où elle croyait faire l'actualité ad vitam
aeternam. Et je pense encore au cordonnier de P.,
mort de n'avoir pas trouvé repreneur à sa cordonnerie.
« Alors ma vie ne vaut rien ? » C'est ce qu'il ne cessait
de répéter. Personne ne voulait racheter sa raison
d'être. « Tout ça pour rien ? » Il en est mort de chagrin.
  Celui-ci est diplomate ; retraité dans six mois, il
redoute plus que tout le face-à-face avec lui-même.
Il cherche à faire autre chose : conseiller interna-
tional d'un groupe industriel ? Consultant en ceci ou
en cela ? Quant à celui-là, il fut Premier ministre. Il
en a rêvé trente ans durant, dès ses premiers succès

électoraux. Sa femme l'y a toujours encouragé. C'est un routier de la politique, il savait que ce rôle titre, le gouvernement Untel, était, par nature, temporaire. Et dangereux. Il savait qu'à la première occasion il serait la risée de la presse, une cible de choix, y compris pour son propre camp, bouc émissaire en chef. Sans doute connaissait-il la blague de Clemenceau sur son chef de cabinet, en 1917, « Quand je pète, c'est lui qui pue ». (Oui, le monde politique a de ces élégances. On y est d'autant plus cru entre « amis » qu'on se doit de peser les déclarations publiques au milligramme.) Donc, il devient Premier ministre. Il accepte ce contrat périlleux à durée limitée. Sa femme et lui se sont blindés en conséquence. Premier ministre pendant quelques années, bien. Les quelques années passent. Comme prévu, il saute. Il perd son ministère. Ses proches affirment qu'il accuse gravement le coup : « Il craint pour son avenir. » Tant et si bien qu'une dépression nerveuse l'entraîne jusqu'au bord du suicide.

Maléfice du rôle social pour lequel nous avons été instruits et éduqués, et que nous avons joué « toute notre vie », soit une moitié de notre temps de vivre : ôtez-nous le rôle, nous ne sommes même plus l'acteur.

Ces fins de carrière dramatiques évoquent un désarroi assez comparable à mes yeux au tourment de l'adolescent qui, croyant n'avoir aucun avenir, éprouve tant de douleur à durer. Réduits à nous-mêmes, nous nous réduisons à rien. Au point qu'il nous arrive de nous tuer. C'est, à tout le moins, une faille dans notre éducation.

13

Vint une année où je fus particulièrement mécontent de moi. Tout à fait malheureux d'être ce que j'étais. Assez désireux de ne pas devenir. La fenêtre de ma chambre donnait sur les baous de La Gaude et de Saint-Jeannet, deux rochers abrupts de nos Alpes du Sud, réputés abréger la souffrance des amoureux éconduits. Un matin que j'envisageais ces falaises avec un peu trop d'affection, on a frappé à la porte de ma chambre. C'était mon père. Il a juste passé sa tête par l'entrebâillement :

– Ah ! Daniel, j'ai complètement oublié de te dire : le suicide est une imprudence.

14

Mais revenons à mes débuts. Bouleversée par mon cambriolage familial, ma mère était allée demander conseil au directeur de mon collège, un personnage débonnaire et perspicace, affublé d'un gros nez rassurant (les élèves l'appelaient Tarin). Me jugeant plus anxieux et chétif que dangereux, Tarin préconisa l'éloignement et le grand air. Un séjour en altitude me remplumerait. Un pensionnat de montagne, oui, c'était la solution, j'y gagnerais des forces et j'y apprendrais les règles de la vie en communauté. Ne vous inquiétez pas, chère madame, vous n'êtes pas la mère d'Arsène Lupin mais d'un petit rêveur auquel on se doit de donner le sens des réalités. S'ensuivirent mes deux premières années de pension, cinquième et quatrième, où je ne retrouvais ma famille qu'à Noël, à Pâques et pour les grandes vacances. Les autres années, je les passerais dans des internats hebdomadaires.

La question de savoir si je fus « heureux » au pensionnat est assez secondaire. Disons que l'état de pensionnaire me fut infiniment plus supportable que celui d'externe.

Il est difficile d'expliquer aux parents d'aujourd'hui les atouts de l'internat, tant ils l'envisagent comme un bagne. À leurs yeux, y envoyer ses enfants relève de l'abandon de paternité. Évoquer seulement la possibilité d'une année de pension, c'est passer pour un monstre rétrograde, adepte de la prison pour cancres. Inutile d'expliquer qu'on y a soi-même survécu, l'argument de l'autre époque vous est immédiatement opposé : « Oui, mais en ce temps-là on traitait les gosses à la dure ! »

Aujourd'hui qu'on a inventé l'amour parental, la question de la pension est taboue, sauf comme menace, ce qui prouve qu'on ne la tient pas pour une solution.

Et pourtant...

Non, je ne vais pas faire l'apologie de la pension.

Non.

Essayons juste de décrire le cauchemar ordinaire d'un externe « en échec scolaire ».

15

Quel externe ? Un de ceux dont m'entretiennent
mes mères téléphoniques, par exemple, et qu'elles
n'enverraient pour rien au monde en pension. Mettons les choses au mieux : c'est un gentil garçon,
aimé par sa famille ; il ne veut la mort de personne
mais, à force de ne rien comprendre à rien, il ne fait
plus grand-chose et récolte des bulletins scolaires où
les professeurs, exténués, laissent aller des appréciations sans espoir : « Aucun travail », « N'a rien fait
rien rendu », « En chute libre », ou plus sobrement :
« Que dire ? » (J'ai, en écrivant ces lignes, ce bulletin
et quelques autres sous les yeux.)
Suivons notre mauvais externe dans une de ses
journées scolaires. Exceptionnellement, il n'est pas
en retard – son carnet de correspondance l'a trop
souvent rappelé à l'ordre ces derniers temps –, mais
son cartable est presque vide : livres, cahiers, matériel une fois de plus oubliés (son professeur de
musique écrira joliment sur son bulletin trimestriel :
« Manque de flûte »).
Bien entendu ses devoirs ne sont pas faits. Or sa

première heure est une heure de mathématiques et les exercices de math sont de ceux qui manquent à l'appel. Ici, de trois choses l'une : ou il n'a pas fait ces exercices parce qu'il s'est occupé à autre chose (une vadrouille entre copains, un quelconque massacre vidéo dans sa chambre verrouillée...), ou il s'est laissé tomber sur son lit sous le poids d'une prostration molle et a sombré dans l'oubli, un flot de musique hurlant dans son crâne, ou – et c'est l'hypothèse la plus optimiste – il a, pendant une heure ou deux, bravement tenté de faire ses exercices mais n'y est pas arrivé.

Dans les trois cas de figure, à défaut de copie, notre externe doit fournir une justification à son professeur. Or, l'explication la plus difficile à servir en l'occurrence est la vérité pure et simple : « Monsieur, madame, je n'ai pas fait mes exercices parce que j'ai passé une bonne partie de la nuit quelque part dans le cyberespace à combattre les soldats du Mal, que j'ai d'ailleurs exterminés jusqu'au dernier, vous pouvez me faire confiance. » « Madame, monsieur, désolé pour ces exercices non faits mais hier soir j'ai cédé sous le poids d'une écrasante hébétude, impossible de remuer le petit doigt, juste la force de chausser mon baladeur. »

La vérité présente ici l'inconvénient de l'aveu « Je n'ai pas fait mon travail », qui appelle une sanction immédiate. Notre externe lui préférera une version institutionnellement plus présentable. Par exemple : « Mes parents étant divorcés, j'ai oublié mon devoir chez mon père avant de rentrer chez Maman. » En d'autres termes un mensonge. De son côté le professeur préfère souvent cette vérité aménagée à un aveu trop abrupt qui l'atteindrait dans son autorité. Le choc frontal est évité, l'élève et le professeur trouvent leur compte dans ce pas de deux diplomatique. Pour la note, le tarif est connu : copie non remise, zéro. Le cas de l'externe qui a essayé, bravement mais en vain, de faire son devoir, n'est guère différent. Lui aussi entre en classe détenteur d'une vérité difficilement recevable : « Monsieur, j'ai consacré hier deux heures à *ne pas faire* votre devoir. Non, non, je n'ai pas fait autre chose, je me suis assis à ma table de travail, j'ai sorti mon cahier de texte, j'ai lu l'énoncé et, pendant deux heures, je me suis retrouvé dans un état de sidération mathématique, une paralysie mentale dont je ne suis sorti qu'en entendant ma mère m'appeler pour passer à table. Vous le voyez, je n'ai pas fait votre devoir, mais j'y ai bel et bien consacré ces deux heures. Après le dîner il était trop tard, une nouvelle séance de catalepsie m'attendait : mon exercice d'anglais. » « Si vous écoutiez davantage en classe, vous comprendriez vos énoncés ! » peut objecter (à juste titre) le professeur.

Pour éviter cette humiliation publique, notre externe préférera lui aussi une présentation diplomatique des faits : « J'étais occupé à lire l'énoncé quand la chaudière a explosé. »

Et ainsi de suite, du matin au soir, de matière en matière, de professeur en professeur, de jour en jour, dans une exponentielle du mensonge qui aboutit au fameux « C'est ma mère !... Elle est morte ! » de François Truffaut.

Après cette journée passée à mentir à l'institution scolaire, la première question que notre mauvais externe entendra en rentrant à la maison est l'invariable :

– Alors, ça s'est bien passé aujourd'hui ?

– Très bien.

Nouveau mensonge.

Qui lui aussi demande à être coupé d'un soupçon de vérité :

– En histoire la prof m'a demandé 1515, j'ai répondu Marignan, elle était très contente !

(Allez, ça tiendra bien jusqu'à demain.)

Mais demain vient aussitôt et les journées se répètent, et notre externe reprend ses va-et-vient entre l'école et la famille, et toute son énergie mentale s'épuise à tisser un subtil réseau de pseudo-cohérence entre les mensonges proférés à l'école et les demi-vérités servies à la famille, entre les explications fournies aux uns et les justifications présentées aux autres, entre les portraits à charge des professeurs qu'il fait aux parents et les allusions aux problèmes familiaux qu'il glisse à l'oreille des professeurs, un atome de vérité dans les uns et dans les autres, toujours, car ces gens-là finiront par se rencontrer, parents et professeurs, c'est inévitable, et il faut songer à cette rencontre, peaufiner sans cesse la fiction vraie qui fera le menu de cette entrevue.

Cette activité mentale mobilise une énergie sans commune mesure avec l'effort consenti par le bon élève pour faire un bon devoir. Notre mauvais externe s'y épuise. Le voudrait-il (il le veut sporadiquement) qu'il n'aurait plus aucune force pour se mettre à travailler vraiment. La fiction où il s'englue le tient prisonnier *ailleurs*, quelque part entre l'école à combattre et la famille à rassurer, dans une troisième et angoissante dimension où le rôle dévolu à l'imagination consiste à colmater les innombrables brèches par où peut surgir le réel sous ses aspects les plus redoutés : mensonge découvert, colère des uns, chagrin des autres, accusations, sanctions, renvoi peut-être, retour à soi-même, culpabilité impuissante, humiliation, délectation morose : Ils ont raison, je suis nul, nul, nul.

Je suis *un nul*.

Or, dans la société où nous vivons, un adolescent installé dans la conviction de sa nullité – voilà au moins une chose que l'expérience vécue nous aura apprise – est une proie.

16

Les raisons pour lesquelles il arrive aux professeurs et aux parents de passer outre ces mensonges, voire d'en être complices, sont trop nombreuses pour être discutées. Combien de bobards quotidiens sur quatre ou cinq classes de trente-cinq élèves ? peut légitimement se demander un professeur. Où trouver le temps nécessaire à ces enquêtes ? Suis-je, d'ailleurs, un enquêteur ? Dois-je, sur le plan de l'éducation morale, me substituer à la famille ? Si oui, dans quelles limites ? Et ainsi de suite, litanie d'interrogations dont chacune fait, un jour ou l'autre, l'objet d'une discussion passionnée entre collègues.

Mais il est une autre raison pour laquelle le professeur ignore ces mensonges, une raison plus enfouie, qui, si elle accédait à la conscience claire, donnerait à peu près ceci : Ce garçon est l'incarnation de mon propre échec professionnel. Je n'arrive ni à le faire progresser, ni à le faire travailler, tout juste à le faire venir en classe, et encore suis-je assuré de sa seule présence physique.

Par bonheur, à peine entrevue, cette mise en cause

personnelle est combattue par quantité d'arguments recevables : J'échoue avec celui-ci, d'accord, mais je réussis avec beaucoup d'autres. Ce n'est tout de même pas ma faute si ce garçon se trouve en quatrième ! Que lui ont donc appris mes prédécesseurs ? Le collège unique est-il à mettre en cause ? À quoi pensent ses parents ? Imagine-t-on qu'avec mes effectifs et mes horaires je puisse lui faire rattraper un pareil retard ?

Autant de questions qui, rameutant le passé de l'élève, sa famille, les collègues, l'institution elle-même, nous permettent de rédiger en toute conscience l'annotation la plus répandue des bulletins scolaires : *Manque de bases* (que j'ai trouvée jusque sur un bulletin de cours préparatoire !). Autrement dit : patate chaude.

Chaude, la patate l'est surtout pour les parents. Ils n'en finissent pas de la faire sauter d'une main dans l'autre. Les mensonges quotidiens de ce gosse les épuisent : mensonges par omission, affabulations, explications exagérément détaillées, justifications anticipées : « En fait, ce qui s'est passé... »

De guerre lasse bon nombre de parents feignent d'accepter ces fables débilitantes, pour calmer momentanément leur propre angoisse d'abord (l'atome de vérité – Marignan 1515 – jouant son rôle de cachet d'aspirine), pour préserver l'atmosphère familiale ensuite, que le dîner ne tourne pas au drame, pas ce soir s'il vous plaît, pas ce soir, pour retarder l'épreuve des aveux qui déchire le cœur de chacun, bref, pour repousser le moment où on mesurera sans

réelle surprise l'étendue de la berezina scolaire en recevant le bulletin trimestriel, plus ou moins adroitement maquillé par le principal intéressé, qui tient à l'œil la boîte aux lettres familiale.
Nous verrons demain,
nous verrons demain...

17

Une des plus mémorables histoires de complicités adultes au mensonge d'un enfant est la mésaventure arrivée au frère de mon ami B. Il devait avoir douze ou treize ans, à l'époque. Comme il redoutait un contrôle de math, il demande à son meilleur copain de lui indiquer la place exacte de l'appendice. Sur quoi il s'effondre, simulant une crise terrible. La direction fait mine de le croire, le renvoie chez lui, ne serait-ce que pour s'en débarrasser. De là, les parents – à qui il en a fait d'autres – le conduisent sans grande illusion dans une clinique voisine, où, surprise, on l'opère sur-le-champ ! Après l'opération, le chirurgien apparaît, porteur d'un bocal où baigne un long machin sanguinolent et déclare, le visage rayonnant d'innocence : « J'ai bien fait de l'opérer, il était à deux doigts de la péritonite ! »

Car les sociétés se bâtissent aussi sur le mensonge bien partagé.

Ou cette autre histoire plus récente : N., proviseur d'un lycée parisien, veille à l'absentéisme. Elle fait elle-même l'appel dans ses classes de terminale. Elle tient particulièrement à l'œil un récidiviste qu'elle a menacé d'exclusion à la prochaine absence injustifiée. Ce matin-là, le garçon est absent ; c'est la fois de trop. N. appelle aussitôt la famille par le téléphone du secrétariat. La mère, désolée, lui affirme que son fils est bel et bien malade, au fond de son lit, brûlant de fièvre, et lui assure qu'elle était sur le point de prévenir le lycée. N. raccroche, satisfaite ; tout est dans l'ordre. À ceci près qu'elle croise le garçon en retournant à son bureau. Il était tout simplement aux toilettes pendant l'appel.

18

En limitant les va-et-vient entre l'école et la famille, l'état de pensionnaire présente sur celui d'externe l'avantage d'installer notre élève dans deux temporalités distinctes : l'école du lundi matin au vendredi soir, la famille pendant le week-end. Un groupe d'interlocuteurs pendant cinq jours ouvrables, l'autre pendant deux jours fériés (qui retrouvent une chance de redevenir deux jours festifs). La réalité scolaire d'un côté, la réalité familiale de l'autre. S'endormir sans avoir à rassurer les parents par le mensonge du jour, se réveiller sans avoir à fourbir d'excuses pour le travail non fait, puisqu'il a été fait à l'étude du soir avec, dans le meilleur des cas, l'aide d'un surveillant ou d'un professeur. Du repos mental, en somme ; une énergie récupérée qui a quelque chance d'être investie dans le travail scolaire. Est-ce suffisant pour propulser le cancre en tête de la classe ? Du moins est-ce lui donner une occasion de vivre le présent comme tel. Or, c'est dans la conscience de son présent que l'individu se construit, pas en le fuyant.

Ici s'arrête mon éloge de la pension.

Ah, si, tout de même, histoire de terroriser tout le monde j'ajouterai, pour y avoir enseigné moi-même, que les meilleurs internats sont ceux où les professeurs eux aussi sont pensionnaires. Disponibles à toute heure, en cas de SOS.

19

À noter que, durant ces vingt dernières années où la pension avait si mauvaise presse, trois des plus gros succès du cinéma et de la littérature populaires auprès de la jeunesse auront été *Le cercle des poètes disparus*, *Harry Potter*, et *Les choristes*, tous trois ayant pour cadre un pensionnat. Trois pensionnats assez archaïques de surcroît : uniformes, rituels et châtiments corporels chez les Anglo-Saxons, blouses grises, bâtiments sinistres, professeurs poussiéreux et paires de baffes chez *Les choristes*.

Il serait intéressant d'analyser le triomphe que fit auprès des jeunes spectateurs de 1989 *Le cercle des poètes disparus*, à peu près unanimement décrié par notre critique et nos salles de professeurs : démagogie, complaisance, archaïsme, niaiserie, sentimentalisme, pauvreté cinématographique et intellectuelle, autant d'arguments qu'on ne peut raisonnablement contester... Reste que des hordes de lycéens s'y précipitèrent et en revinrent radieux. Les supposer enchantés par les seuls défauts du film c'est se faire une piètre opinion d'une génération entière. Les anachronismes du professeur Keating, par exemple, n'avaient pas échappé à mes élèves, ni sa mauvaise foi :

– Il n'est pas tout à fait « honnête », monsieur, avec son *Carpe diem*, Keating, il en parle comme si nous étions toujours au XVIᵉ siècle ; or, au XVIᵉ on mourait beaucoup plus jeune qu'aujourd'hui !

– Et puis, c'est dégueulasse, le début, quand il fait déchirer le manuel scolaire, un type qui se prétend si ouvert... Et pourquoi pas se mettre à brûler les livres qui lui déplaisent, tant qu'il y est ? Moi, j'aurais refusé.

Cela déduit, mes élèves avaient « adoré » le film. Tous et toutes s'identifiaient à ces jeunes Américains de la fin des années cinquante qui, socialement et culturellement parlant, leur étaient à peu près aussi proches que des Martiens. Tous et toutes raffolaient de l'acteur Robin Williams (dont les adultes estimaient qu'il en faisait des tonnes). Son professeur Keating incarnait à leurs yeux la chaleur humaine et l'amour du métier : passion pour la matière enseignée, dévouement absolu à ses élèves, le tout servi par un dynamisme de coach infatigable. Le vase clos de l'internat ajoutait à l'intensité de ses cours, il leur conférait un climat d'intimité dramatique qui élevait nos jeunes spectateurs à la dignité d'étudiants à part entière. À leurs yeux les cours de Keating étaient un rituel de passage qui ne regardait qu'eux et eux seuls. Ce n'était pas l'affaire de la famille. Ni d'ailleurs celle des professeurs. Ce qu'un de mes élèves exprima sans ambages :

– Bon, les profs n'aiment pas. Mais c'est notre film, c'est pas le vôtre !

Exactement ce qu'avaient dû penser la plupart des professeurs en question, vingt ans plus tôt, quand, lycéens eux-mêmes, ils avaient jubilé à la Palme d'or du Festival de Cannes 1969, intitulée *If,* une autre histoire de pensionnat, où les plus brillants élèves d'un collège ô combien britannique prenaient leur école d'assaut et, perchés sur les toits, tiraient à la mitrailleuse et au mortier sur les parents, l'évêque et les professeurs rassemblés pour la remise des prix. Spectateurs adultes scandalisés, comme il se doit, étudiants et lycéens exultant, bien entendu : C'est notre film, pas le leur !

Apparemment, les temps avaient changé.

Je me suis dit alors qu'une étude comparée de tous les films concernant l'école en dirait long sur les sociétés qui les avaient vus naître. Du *Zéro de conduite* de Jean Vigo à ce fameux *Cercle des poètes disparus*, en passant par *Les disparus de Saint-Agil* de Christian-Jaque (1939), *La cage aux rossignols* de Jean Dréville (1944, l'ancêtre des *Choristes*), *Graine de violence* de Richard Brooks (USA, 1955), *Les 400 coups* de François Truffaut (1959), *Le premier maître* de Mikhalkov-Kontchalovski (URSS, 1965), *Le professeur* de Zurlini (1972), à quoi on peut ajouter, après 1990, *Le porteur de serviette* de Daniele Luchetti (1991), *Le tableau noir* de l'Iranienne Samira Makhmalbaf (2000), *L'esquive* d'Abdellatif Kechiche (2002), et quelques dizaines encore.

Mon projet d'étude comparée n'a pas dépassé le

stade de l'intention ; le traite qui veut, si ce n'est déjà fait. Voilà en tout cas un beau prétexte à rétrospective. La plupart de ces films ayant été d'énormes succès publics, on pourrait en tirer bon nombre d'enseignements intéressants, entre autres celui-ci : que, depuis Rabelais, chaque génération de Gargantua éprouve une juvénile horreur des Holoferne et un gros besoin de Ponocrates, en d'autres termes l'envie toujours renouvelée de se former en s'opposant à l'air du temps, à l'esprit du lieu, et le désir de s'épanouir à l'ombre – ou plutôt dans la clarté ! – d'un maître jugé exemplaire.

20

Mais revenons à la question du devenir.

Février 1959, septembre 1969. Dix années, donc, s'étaient écoulées entre la lettre calamiteuse que j'avais écrite à ma mère et celle que mon père envoyait à son fils *professeur*.

Les dix années où je suis devenu.

À quoi tient la métamorphose du cancre en professeur ?

Et, accessoirement, celle de l'analphabète en romancier ?

C'est évidemment la première question qui vient à l'esprit.

Comment suis-je devenu ?

La tentation est grande de ne pas répondre. En arguant, par exemple, que la maturation ne se laisse pas décrire, celle des individus pas plus que celle des oranges. À quel moment l'adolescent le plus rétif atterrit-il sur le terrain de la réalité sociale ? Quand décide-t-il de jouer, si peu que ce soit, ce jeu-là ? Est-ce seulement de l'ordre de la décision ? Quelle part y prennent l'évolution organique, la chimie cellulaire, le maillage du réseau neuronal ? Autant de questions qui permettent d'éviter le sujet.

– Si ce que vous écrivez de votre cancrerie est vrai, pourrait-on m'objecter, cette métamorphose est un authentique mystère !

À ne pas y croire, en effet. C'est d'ailleurs le lot du cancre : on ne le croit jamais. Pendant sa cancrerie on l'accuse de déguiser une paresse vicieuse en lamentations commodes : « Arrête de nous raconter des histoires et travaille ! » Et quand sa situation sociale atteste qu'il s'en est sorti on le soupçonne de se faire valoir : « Vous, un ancien cancre ? Allons donc, vous vous vantez ! » Le fait est que le bonnet d'âne se porte volontiers a posteriori. C'est même une décoration qu'on s'octroie couramment en société. Elle vous distingue de ceux dont le seul mérite fut de suivre les chemins du savoir balisé. Le gotha pullule d'anciens cancres héroïques. On les entend, ces malins, dans les salons, sur les ondes, présenter leurs déboires scolaires comme des hauts faits de résistance. Je ne crois, moi, à ces paroles, que si j'y perçois l'arrière-son d'une douleur. Car si l'on guérit parfois de la cancrerie, on ne cicatrise jamais tout à fait des blessures qu'elle nous infligea. Cette enfance-là n'était pas drôle, et s'en souvenir ne l'est pas davantage. Impossible de s'en flatter. Comme si l'ancien asthmatique se vantait d'avoir senti mille fois qu'il allait mourir d'étouffement ! Pour autant, le cancre tiré d'affaire ne souhaite pas qu'on le plaigne, surtout pas, il veut oublier, c'est tout, ne plus penser à cette honte. Et puis il sait, au fond de lui, qu'il aurait fort bien pu ne pas s'en sortir. Après tout, les cancres perdus à vie sont les plus nombreux. J'ai toujours eu le sentiment d'être un rescapé.

Bref, que s'est-il passé en moi pendant ces dix années ?

Comment m'en suis-je sorti ?

Une constatation préalable : adultes et enfants, on le sait, n'ont pas la même perception du temps. Dix ans ne sont rien aux yeux de l'adulte qui calcule par décennies la durée de son existence. C'est si vite passé, dix ans, quand on en a cinquante ! Sensation de rapidité qui, d'ailleurs, aiguise l'inquiétude des mères pour l'avenir de leur fils. Le bac dans cinq ans, déjà, mais c'est tout de suite ! Comment le petit peut-il changer si radicalement en si peu de temps ? Or, pour le petit, chacune de ces années-là vaut un millénaire ; à ses yeux son futur tient tout entier dans les quelques jours qui viennent. Lui parler de l'avenir c'est lui demander de mesurer l'infini avec un décimètre. Si le verbe « devenir » le paralyse, c'est surtout parce qu'il exprime l'inquiétude ou la réprobation des adultes. L'avenir, c'est moi en pire, voilà en gros ce que je traduisais quand mes professeurs m'affirmaient que je ne deviendrais rien. En les écoutant je ne me faisais pas la moindre représentation du temps, je les croyais, tout bonnement : crétin à jamais, pour toujours, « jamais » et « toujours » étant les seules unités de mesure que l'orgueil blessé propose au cancre pour sonder le temps.

Le temps... Je ne savais pas qu'il me faudrait vieillir pour avoir une perception logarithmique de son écoulement. (J'étais d'ailleurs tout à fait ignorant des logs, de leurs tables, de leurs fonctions, de leurs échelles et de leurs courbes charmantes…) Mais, devenu professeur, je sus d'instinct qu'il était vain de brandir le futur sous le nez de mes plus mauvais élèves. À chaque jour suffit sa peine, et à chaque heure dans cette journée, pourvu que nous y soyons pleinement présents, ensemble.

Or, enfant, je n'y étais pas. Il me suffisait de pénétrer dans une classe pour en sortir. Comme un de ces rayons tombés des soucoupes volantes, il me semblait que le regard vertical du maître m'arrachait à ma chaise et m'expédiait instantanément ailleurs. Où cela ? Dans sa tête précisément ! La tête du maître ! C'était le laboratoire de la soucoupe volante. Le rayon m'y déposait. On y prenait toute la mesure de ma nullité, puis on me recrachait, par un autre regard, comme un détritus, et je roulais dans un champ d'épandage où je ne pouvais comprendre ni ce qu'on m'enseignait, ni d'ailleurs ce que l'école attendait de moi puisque j'étais réputé incapable. Ce verdict m'offrait les compensations de la paresse : à quoi bon se tuer à la tâche si les plus hautes autorités considèrent que les carottes sont cuites ? On le voit, je développais une certaine aptitude à la casuistique. C'est une tournure d'esprit que, professeur, je repérais vite chez mes cancres.

Puis vint mon premier sauveur.

Un professeur de français.

En troisième.

Qui me repéra pour ce que j'étais : un fabulateur sincère et joyeusement suicidaire.

Épaté, sans doute, par mon aptitude à fourbir des excuses toujours plus inventives pour mes leçons non apprises ou mes devoirs non faits, il décida de m'exonérer de dissertations pour me commander un roman. Un roman que je devais rédiger dans le trimestre, à raison d'un chapitre par semaine. Sujet libre, mais prière de fournir mes livraisons sans faute d'orthographe, « histoire d'élever le niveau de la critique ». (Je me rappelle cette formule alors que j'ai tout oublié du roman lui-même.) Ce professeur était un très vieil homme qui nous consacrait les dernières années de sa vie. Il devait arrondir sa retraite dans cette boîte on ne peut plus privée de la banlieue nord parisienne. Un vieux monsieur d'une distinction désuète, qui avait donc repéré en moi le *narrateur*. Il s'était dit que, dysorthographie ou pas, il fallait m'attaquer par le récit si l'on voulait avoir une chance de m'ouvrir au travail scolaire. J'écrivis ce roman avec enthousiasme. J'en corrigeais scrupuleusement chaque mot à l'aide du dictionnaire (qui, de ce jour, ne me quitte plus), et je livrais mes chapitres avec la ponctualité d'un feuilletoniste professionnel. J'imagine que ce devait être un récit fort triste, très influencé que j'étais alors par Thomas Hardy, dont les romans vont de malentendu en catastrophe et de catastrophe en tragédie irréparable, ce qui ravissait mon goût du *fatum* : rien à faire dès le départ, c'est bien mon avis.

Je ne crois pas avoir fait de progrès substantiel en

quoi que ce soit cette année-là mais, pour la première fois de ma scolarité, un professeur me donnait un statut ; j'existais scolairement aux yeux de quelqu'un, comme un individu qui avait une ligne à suivre, et qui tenait le coup dans la durée. Reconnaissance éperdue pour mon bienfaiteur, évidemment, et quoiqu'il fût assez distant, le vieux monsieur devint le confident de mes lectures secrètes.

– Alors, que lit-on, Pennacchioni, en ce moment ?

Car il y avait la lecture.

Je ne savais pas, alors, qu'elle me sauverait.

À l'époque, lire n'était pas l'absurde prouesse d'aujourd'hui. Considérée comme une perte de temps, réputée nuisible au travail scolaire, la lecture des romans nous était interdite pendant les heures d'étude. D'où ma vocation de lecteur clandestin : romans recouverts comme des livres de classe, cachés partout où cela se pouvait, lectures nocturnes à la lampe de poche, dispenses de gymnastique, tout était bon pour me retrouver seul avec un livre. C'est la pension qui m'a donné ce goût-là. Il m'y fallait un monde à moi, ce fut celui des livres. Dans ma famille, j'avais surtout regardé les autres lire : mon père fumant sa pipe dans son fauteuil, sous le cône d'une lampe, passant distraitement son annulaire dans la raie impeccable de ses cheveux, un livre ouvert sur ses genoux croisés ; Bernard, dans notre chambre, allongé sur le côté, genoux repliés, sa main droite soutenant sa tête... Il y avait du bien-être dans ces attitudes. Au fond, c'est la physiologie du lecteur qui m'a poussé à lire. Peut-être n'ai-je lu, au début, que pour reproduire ces postures et en explorer d'autres. En lisant je me suis physiquement installé dans un bonheur qui dure toujours. Que lisais-je ? Les contes d'Andersen, pour cause d'identification au *Vilain petit canard*, mais Alexandre Dumas aussi, pour le mouvement des épées, des chevaux et des cœurs. Et Selma Lagerlöf, le magnifique *Gösta Berling*, ce pasteur ivrogne et splendide, banni par son évêque, dont je fus l'infatigable compagnon d'aventure avec les autres cavaliers d'Ekeby, *La Guerre et la Paix*, offert par Bernard pour mon entrée en quatrième je crois, l'histoire d'amour entre Natacha et le prince André à la première lecture – ce qui réduisait le roman à une centaine de pages –, l'épopée napoléonienne en troisième, à la deuxième lecture : Austerlitz, Borodino, l'incendie de Moscou, la retraite de Russie (j'avais dessiné une fresque immense de la bataille d'Austerlitz, où se massacraient les petits bonshommes de mon écriture clandestine), deux ou trois cents pages de plus. Nouvelle lecture en seconde, pour l'amitié de Pierre Bezoukhov (un autre vilain petit canard, mais qui comprenait plus de choses qu'on ne le croyait), et la totalité du roman enfin, en terminale, pour la Russie, pour le personnage de Koutouzov, pour Clausewitz, pour la réforme agraire, pour Tolstoï. Il y avait Dickens, évidemment – Oliver Twist avait besoin de moi –, Emily Brontë, dont le moral m'appelait au secours, Stevenson, Jack London, Oscar Wilde, et les premières lectures de Dostoïevski, *Le joueur*, bien sûr (avec Dostoïevski, va savoir pourquoi, on commence toujours par *Le joueur*). Ainsi allaient mes lectures, au gré de ce que je trouvais dans la bibliothèque familiale et *Tintin*, bien sûr, et *Spirou*, et les *Signes de piste* ou les *Bob Morane* qui ravageaient l'époque. La première qualité des romans que j'emportais au collège était de ne pas être au programme. Personne ne m'interrogeait. Aucun regard ne lisait ces lignes par-dessus mon épaule ; leurs auteurs et moi demeurions entre nous. J'ignorais, en les lisant, que je me cultivais, que ces livres éveillaient en moi un appétit qui survivrait même à leur oubli. Ces lectures de jeunesse s'achevèrent par quatre portes ouvertes sur les signes du monde, quatre livres on ne peut plus différents mais qui tissèrent en moi, pour des raisons qui me demeurent en partie mystérieuses, des liens étroits de parenté : *Les liaisons dangereuses*, *À rebours*, *Mythologies* de Roland Barthes et *Les choses* de Perec.

Je n'étais pas un lecteur raffiné. N'en déplaise à Flaubert, je lisais comme Emma Bovary à quinze ans, pour la seule satisfaction de mes sensations, lesquelles, par bonheur, se révélèrent insatiables. Je ne tirais aucun bénéfice scolaire immédiat de ces lectures. Contre toutes les idées reçues, ces milliers de pages avalées – et très vite oubliées – n'améliorèrent pas mon orthographe, toujours incertaine aujourd'hui, d'où l'omniprésence de mes dictionnaires. Non, ce qui eut provisoirement raison de mes fautes (mais ce provisoire rendait la chose définitivement possible), ce fut ce roman commandé par ce professeur qui refusait d'abaisser sa lecture à des considérations orthographiques. Je lui *devais* un manuscrit sans faute. Un génie de l'enseignement en somme. Pour moi seul, peut-être, et peut-être en cette seule circonstance, mais un génie !

J'ai croisé trois autres de ces génies entre ma classe de troisième et ma seconde terminale, trois autres sauveurs dont je parlerai plus loin : un professeur de mathématiques qui *était* les mathématiques, une époustouflante professeur d'histoire qui pratiquait comme personne l'art de l'incarnation historique, et un professeur de philosophie que mon admiration surprend d'autant plus aujourd'hui que lui-même ne garde aucun souvenir de moi (il me l'a écrit), ce qui le grandit encore à mes yeux puisqu'il m'éveilla l'esprit sans que je doive rien à son estime mais tout à son art. À eux quatre ces maîtres m'ont sauvé de moi-même. Sont-ils arrivés trop tard ? Les aurais-je si bien suivis, s'ils avaient été mes instituteurs ? Garderais-je un meilleur souvenir de mon enfance ? Quoi qu'il en soit, ils ont été mes heureux imprévus. Furent-ils, pour d'autres élèves, la révélation qu'ils ont été pour moi ? C'est une question qui se pose, tant la notion de tempérament joue son rôle en matière de pédagogie. Quand il m'arrive de rencontrer un ancien élève qui se déclare heureux des heures passées dans ma classe, je me dis qu'au même instant, sur un autre trottoir, se promène peut-être celui pour qui j'étais l'éteignoir de service.

Un autre élément de ma métamorphose fut l'irruption de l'amour dans ma prétendue indignité. L'amour ! Parfaitement inimaginable à l'adolescent que je croyais être. La statistique, pourtant, disait son surgissement probable, voire certain. (Mais non, pensez donc, inspirer de l'amour, moi ? Et à qui ?) Il se présenta pour la première fois sous la forme d'une émouvante rencontre de vacances, s'exprima essentiellement dans une copieuse correspondance, et s'acheva par une rupture consentie au nom de notre jeunesse et de la distance géographique qui nous séparait. L'été suivant, le cœur brisé par la fin de cette passion semi-platonique, je m'engageai comme mousse sur un cargo, un des derniers liberty ships en service sur l'Atlantique, et jetai à la mer un paquet de lettres à faire ricaner les requins. Il fallut attendre deux ans pour qu'un autre amour devienne le premier, par l'importance que, dans ce domaine, les actes confèrent à la parole. Un autre genre d'incarnation, qui révolutionna ma vie et signa l'arrêt de mort de ma cancrerie. Une femme m'aimait ! Pour la première fois de ma vie mon nom résonnait à mes propres oreilles ! Une femme m'appelait par mon nom ! J'existais aux yeux d'une femme, dans son cœur, entre ses mains, et déjà dans ses souvenirs, son premier regard du lendemain me le disait ! Choisi parmi tous les autres ! Moi ! Préféré ! Moi ! Par elle ! (Une élève d'hypokhâgne, qui plus est, quand j'allais redoubler ma terminale !) Mes derniers barrages sautèrent : tous les livres lus nuitamment, ces milliers de pages pour la plupart effacées de ma mémoire, ces connaissances stockées à l'insu de tous et de moi-même, enfouies sous tant de couches d'oubli, de renoncement et d'autodénigrement, ce magma de mots bouillonnant d'idées, de sentiments, de savoirs en tout genre, fit soudain exploser la croûte d'infamie et jaillit dans ma cervelle qui prit des allures de firmament infiniment étoilé ! En somme, je planais, comme disent les heureux d'aujourd'hui. J'aimais et on m'aimait ! Comment tant d'ardeur impatiente pouvait-elle susciter tant de calme et tant de certitude ? Quelle confiance me faisait-on, tout à coup ! Et quelle confiance avais-je soudain en moi ! Pendant les quelques années que dura ce bonheur, il ne fut plus question de faire l'imbécile. Les bouchées doubles, oui. Après le bac, j'éliminai en moins de temps qu'il n'en faut pour le dire une licence et une maîtrise de lettres, l'écriture de mon premier roman, des cahiers entiers d'aphorismes que j'appelais sans rire mes *Laconiques*, et la production d'innombrables dissertations, dont certaines destinées aux khâgneuses amies de mon amie qui réclamaient mes lumières sur tel point d'histoire, de littérature ou de philosophie. Dans la foulée je m'étais même offert le luxe d'une hypokhâgne que j'abandonnai en cours de route pour la rédaction de ce fameux premier roman. Laisser aller ma propre plume, voler de mes propres ailes, dans mon propre ciel ! Je ne voulais rien d'autre. Et que mon amie continuât de m'aimer.

À la blague de mon père sur la révolution nécessaire à ma licence et sur le risque d'un conflit planétaire si je tentais l'agreg, j'ai ri de bon cœur et rétorqué que, pas du tout, pas la révolution, Papa, l'amour, nom de Dieu ! L'amour depuis trois ans ! La

révolution nous l'avons faite au lit, elle et moi !
Quant à l'agreg, pas d'agreg, je n'aime pas les jeux de
hasard ! Ni de Capès ! Assez perdu de temps comme
ça. Une maîtrise et basta : le minimum vital du professeur. Petit prof, Papa. Dans des petites boîtes s'il
le faut. Retour sur le lieu du crime. M'y occuper des
gosses qui sont tombés dans la poubelle de Djibouti.
M'occuper d'eux avec le clair souvenir de ce que je
fus. Pour le reste, la littérature ! Le roman ! L'enseignement et le roman ! Lire, écrire, enseigner !
   Mon réveil doit aussi beaucoup à la ténacité de ce
père faussement lointain. Jamais découragé par mon
découragement, il a su résister à toutes mes tentatives de fuite : cette supplique véhémente, par
exemple, à quatorze ans, pour qu'il me fasse entrer
aux enfants de troupe. Nous en avons beaucoup ri
vingt ans plus tard, quand, libéré de mon service, je
lui ai donné à lire la mention inscrite sur mon livret
militaire, *Grades successifs : deuxième classe.*
   – Successivement deuxième classe, alors ? C'est bien
ce que je pensais : inapte à l'obéissance et aucun
goût pour le commandement.
   Il y eut ce vieil ami aussi, Jean Rolin, professeur de
philo, père de Nicolas, de Jeanne et de Jean-Paul,
mes compagnons d'adolescence. Chaque fois que je
ratais le bac, il m'invitait dans un excellent restaurant, pour me concaincre, une fois de plus, que
chacun va son rythme et que je faisais tout bonnement un retard d'éclosion. Jean, mon cher Jean, que
ces pages – si tardives en effet – te fassent sourire, au
paradis des philosophes.

21

Bref, on devient.

Mais on ne change pas tellement. On fait avec ce qu'on est.

Voilà qu'à la fin de cette deuxième partie, je m'offre une crise de doute. Doute quant à la nécessité de ce livre, doute quant à mes capacités à l'écrire, doute sur moi-même tout simplement, doute qui s'épanouira bientôt en considérations ironiques sur l'ensemble de mon travail, voire ma vie entière... Doute proliférant... Ces crises sont fréquentes. Elles ont beau être un héritage de ma cancrerie, je ne m'y habitue pas. On doute toujours pour la première fois et j'ai le doute ravageur. Il me pousse vers ma pente naturelle. Je résiste mais de jour en jour je redeviens le mauvais élève que j'essaye de décrire. Les symptômes sont rigoureusement pareils à ceux de mes treize ans : rêverie, procrastination, éparpillement, hypocondrie, nervosité, délectation morose, sautes d'humeur, jérémiades et, pour finir, sidération devant l'écran de mon ordinateur, comme jadis devant l'exercice à faire, l'interro à préparer... Je suis là, ricane le cancre que je fus.

Je lève les yeux. Mon regard erre sur le Vercors sud. Pas une maison à l'horizon. Ni une route. Ni un individu. Des champs pierreux bordés de montagnes rases où s'épanouissent par-ci par-là des bouquets de hêtres comme des panaches silencieux. Sur tout ce vide bourgeonne immensément un ciel de menace. Dieu que j'aime ce paysage ! Au fond, une de mes grandes joies aura été de m'offrir cet exil qu'enfant je réclamais à mes parents... Cet horizon en deçà duquel nul n'a de comptes à rendre à personne. (Sauf ce petit lapin à cette buse, là-haut, qui a des vues sur lui...) Au désert, le tentateur, ce n'est pas le diable, c'est le désert lui-même : tentation naturelle de tous les abandons.

Bon, ça va comme ça,
arrête ton cirque,
remets-toi au travail.

22

Et on se remet au travail. Ligne après ligne on continue de devenir, avec ce livre qui se fait.

On devient.

Les uns après les autres, nous devenons.

Ça se passe rarement comme prévu, mais une chose est sûre : nous devenons.

La semaine dernière, comme je sors d'un cinéma, une petite fille, neuf ou dix ans, me course dans la rue et me rattrape tout essoufflée :

– Monsieur, monsieur !

Quoi donc ? Ai-je oublié mon parapluie au cinoche ? Tout sourire, la petite désigne du doigt un type qui nous regarde, de l'autre côté de la rue.

– C'est mon grand-père, monsieur !

Grand-père ébauche un salut un peu gêné.

– Il n'ose pas vous dire bonjour, mais vous avez été son professeur.

– ...

Nom d'un chien, son grand-père ! J'ai été le professeur de son grand-père !

Eh oui, nous devenons.

...

Vous quittez une gamine en quatrième, nulle, nulle, nulle, de son propre aveu (« Qu'est-ce que j'étais nulle ! »), et vingt ans plus tard une jeune femme vous interpelle dans une rue d'Ajaccio, radieuse, assise à la terrasse d'un café :

– Monsieur, *Ne touchez pas l'épaule du cavalier qui passe* !

Vous vous arrêtez, vous vous retournez, la jeune femme vous sourit, vous lui récitez la suite de *L'allée*, ce poème de Supervielle qu'apparemment vous connaissez tous les deux :

> *Il se retournerait*
> *Et ce serait la nuit,*
> *Une nuit sans étoile,*
> *Sans courbe ni nuage.*

Elle éclate de rire, elle demande :

> *– Que deviendrait alors*
> *Tout ce qui fait le ciel,*
> *La lune et son passage*
> *Et le bruit du soleil ?*

Et vous répondez à l'enfant réapparue dans le sourire de la femme, l'enfant rétive à qui vous aviez jadis appris ce poème :

> *– Il vous faudrait attendre*
> *Qu'un second cavalier*
> *Aussi puissant que l'autre*
> *Consentît à passer.*

À Paris, je bavarde avec des amis, dans un café. D'une table voisine un homme me pointe du doigt en me regardant fixement. Je lève les yeux et lui demande d'un hochement de front ce qu'il me veut. Il m'appelle alors par un autre nom que le mien :

– Don Segundo Sombra !

Ce faisant, il me fait faire un bond vertigineux dans le temps.

– Toi, je t'ai eu en 1982 ! En cinquième.

– Tout juste, monsieur. Et cette année-là vous nous avez lu *Don Segundo Sombra*, un roman argentin, de Ricardo Güiraldes.

Je ne me rappelle jamais le nom de ces élèves de rencontre, ni d'ailleurs leurs visages, mais dès les premiers vers, les premiers titres de romans évoqués, les premières allusions à un cours précis, quelque chose se recompose de l'adolescent qui ne voulait pas lire ou de la petite qui prétendait ne rien comprendre à rien ; ils me redeviennent aussi familiers que les vers de Supervielle ou le nom de Segundo Sombra qui, eux, va savoir pourquoi, n'ont pas subi l'érosion du temps. Ils sont à la fois cette gamine apeurée et cette jeune femme qui fait aujourd'hui la mode de sa génération, ce garçon buté et ce commandant de bord qui bouquine au-dessus des océans, pilote automatique enclenché.

À chaque rencontre, on constate qu'une vie s'est épanouie, aussi imprévisible que la forme d'un nuage.

Et n'allez pas vous imaginer que ces destins doivent tant que ça à votre influence de professeur ! Je regarde l'heure à la montre gousset que Minne, ma femme, m'a offerte pour quelque ancien anniversaire et qui ne me quitte jamais. Ce genre de montre à double boîtier s'appelle une savonnette. Donc, je consulte ma savonnette et voilà que je glisse quinze ans en arrière, lycée H, salle F, où je suis occupé à surveiller une soixantaine de premières et de terminales qui planchent dans un silence d'avenir. Tous noircissent du papier à qui mieux mieux, sauf Emmanuel, sur ma droite, près de la fenêtre à trois ou quatre rangs de mon estrade. Nez au vent, copie blanche, Emmanuel. Nos regards se croisent. Le mien se fait explicite : Alors quoi ? copie blanche ? tu vas t'y mettre, oui ? Emmanuel me fait signe d'approcher. Je l'ai eu comme élève deux ans plus tôt. Malin, vif, cossard, inventif, drôle et déterminé. Et, pour l'instant, copie ostensiblement blanche. Je consens à m'approcher, histoire de lui secouer les puces, mais il coupe court à mon tir de semonce en lâchant, dans un soupir définitif :

– Si vous saviez comme ça m'emmerde, monsieur !

Que faut-il faire d'un pareil élève ? L'abattre sur place ? Dans l'expectative, et bien que ce ne soit pas le moment, je demande :

– Et peut-on savoir ce qui t'intéresse ?

– Ça.

Répond-il en me rendant ma savonnette, qu'il m'a fauchée sans que je m'en aperçoive.

– Et ça, ajoute-t-il en me rendant mon stylo.

– Pickpocket ? Tu veux devenir pickpocket ?

– Prestidigitateur, monsieur.

Ce qu'il devint, ma foi, qu'il est encore, et renommé, sans que j'y sois pour rien.

Oui, il arrive parfois que des projets se réalisent, que des vocations s'accomplissent, que le futur honore ses rendez-vous. Un ami m'assure qu'une surprise m'attend dans le restaurant où il m'invite. J'y vais. La surprise est de taille. C'est Rémi, le maître-queux du lieu. Impressionnant du haut de son mètre quatre-vingts et sous sa blanche toque de chef ! Je ne le reconnais pas d'abord, mais il me rafraîchit la mémoire en déposant sous mes yeux une copie rédigée par lui et corrigée par moi vingt-cinq ans plus tôt. 13/20. Sujet : *Faites votre portrait à quarante ans*. Or, l'homme de quarante ans qui se tient debout devant moi, souriant et vaguement intimidé par l'apparition de son vieux professeur, est très exactement celui que le jeune garçon décrivait dans sa copie : le chef d'un restaurant dont il comparait les cuisines à la salle des machines d'un paquebot de haute mer. Le correcteur avait apprécié, en rouge, et avait émis le souhait de s'asseoir un jour à la table de ce restaurant...

C'est le genre de situation où vous ne regrettez pas d'être devenu ce professeur que, désormais, vous n'êtes plus.

Nous devenons, nous devenons, tous autant que nous sommes, et nous nous croisons parfois entre devenus. Isabelle, la semaine dernière, rencontrée dans un théâtre, étonnamment semblable en sa proche quarantaine à la gamine de seize ans qui fut mon élève en seconde... Elle avait échoué dans ma classe après son deuxième renvoi. (« Mon deuxième renvoi en trois ans, tout de même ! ») Orthophoniste à présent, au sourire avisé.

Comme les autres, elle me demande :

– Vous vous souvenez d'Unetelle ? Et d'Untel ? Et de tel autre ?

Hélas, ô mes élèves, ma fichue mémoire se refuse toujours à l'archivage des noms propres. Leurs majuscules continuent de faire barrage. Il me suffisait des grandes vacances pour oublier la plupart de vos noms, alors, vous pensez, avec toutes ces années ! Une sorte de siphonnage permanent lessive ma cervelle, qui élimine, avec les vôtres, le nom des auteurs que je lis, les titres de leurs bouquins ou ceux des films que je vois, les villes que je traverse, les itinéraires que je suis, les vins que je bois... Ce qui ne signifie pas que vous sombriez dans mon oubli ! Qu'il me soit seulement donné de vous revoir cinq minutes, et la bouille confiante de Rémi, le grand rire de Nadia, la malice d'Emmanuel, la gentillesse pensive de Christian, la vivacité d'Axelle, l'inoxydable bonne humeur d'Arthur ressuscitent l'élève dans cet homme ou cette femme qui me font, en me croisant, le plaisir de reconnaître leur professeur. Je peux bien vous l'avouer aujourd'hui, votre mémoire a toujours été plus véloce et plus fiable que la mienne, même en ces temps où nous apprenions ensemble ces textes hebdomadaires que nous devions pouvoir nous réciter mutuellement à n'importe quel moment de l'année. Bon an mal an, une trentaine de textes en tout genre, dont Isabelle déclare fièrement :

– Je n'en ai pas oublié un seul, monsieur !

– J'imagine que tu avais tes préférés...

– Oui, celui-ci par exemple, dont vous aviez précisé que nous serions mûrs pour le comprendre dans une soixantaine d'années.

Et de me réciter le texte en question qui, en effet, tombe à pic pour clore le chapitre du devenir :

Mon grand-père avait coutume de dire : « La vie est étonnamment brève. Dans mon souvenir elle se ramasse aujourd'hui sur elle-même si serrée que je comprends à peine (par exemple) qu'un jeune homme puisse se décider à partir à cheval pour le plus proche village sans craindre que – tout accident écarté – une existence ordinaire et se déroulant sans heurts ne suffise pas, de bien loin, même pour cette promenade. »

Dans une esquisse de révérence Isabelle lâche le nom de l'auteur : Franz Kafka. Et précise :

– Dans la traduction de Vialatte, celle que vous préfériez.

III

Y

ou le présent
d'incarnation

Je n'y arriverai jamais

1

– J'y arriverai jamais, m'sieur.
– Tu dis ?
– J'y arriverai jamais !
– Où veux-tu aller ?
– Nulle part ! Je veux aller nulle part !
– Alors pourquoi as-tu peur de ne pas y arriver ?
– C'est pas ce que je veux dire !
– Qu'est-ce que tu veux dire ?
– Que j'y arriverai jamais, c'est tout !
– Écris-nous ça au tableau : Je n'y arriverai jamais.
Je ni ariverai jamais.
– Tu t'es trompé de n'y. Celui-ci est une conjonction négative, je t'expliquerai plus tard. Corrige. N'y, ici, s'écrit *n* apostrophe, *y*. Et arriver prend deux *r*.
Je n'y arriverai jamais.
– Bon. Qu'est-ce que c'est que ce « y », d'après toi ?
– Je sais pas.
– Qu'est-ce qu'il veut dire ?
– Je sais pas.
– Eh bien il faut absolument qu'on trouve ce qu'il veut dire, parce que c'est lui qui te fait peur, ce « y ».

– J'ai pas peur.

– Tu n'as pas peur ?

– Non.

– Tu n'as pas peur de ne pas y arriver ?

– Non, je m'en branle.

– Pardon ?

– Ça m'est égal, quoi, je m'en moque !

– Tu te moques de ne pas y arriver ?

– Je m'en moque, c'est tout.

– Et ça, tu peux l'écrire au tableau ?

– Quoi, je m'en moque ?

– Oui.

Je mens moque.

– *M* apostrophe *en*. Là tu as écrit le verbe mentir à la première personne du présent.

Je m'en moque.

– Bon, et ce « en » justement, qu'est-ce que c'est que ce « en » ?

– ...

– Ce « en », qu'est-ce que c'est ?

– Je sais pas, moi... C'est tout ça !

– Tout ça quoi ?

– Tout ce qui me gonfle !

2

Dès les premières heures de cours, cette année-là, nous nous étions attaqués à ce « y », à ce « en », à ce « tout », à ce « ça », mes élèves et moi. C'est par eux que nous avions entamé l'assaut du bastion grammatical. Si nous voulions nous installer solidement dans l'indicatif présent de notre cours, il fallait régler leur compte à ces mystérieux agents de désincarnation. Priorité absolue ! Nous avons donc fait la chasse aux pronoms flous. Ces mots énigmatiques se présentaient comme autant d'abcès à vider.

« Y », d'abord. Nous avons commencé par ce fameux « y » auquel on n'arrive jamais. Passons sur sa dénomination de pronom adverbial qui résonne comme du chinois à l'oreille de l'élève qui l'entend pour la première fois, ouvrons-lui le ventre, extirpons-en tous les sens possibles, nous lui collerons son étiquette grammaticale en le recousant, après avoir remis en place ses entrailles dûment répertoriées. Les grammairiens lui accordent une valeur imprécise. Eh bien précisons, précisons !

En l'occurrence, cette année-là, pour ce garçon-là,

qui braillait et lâchait des gros mots comme on roule des mécaniques, « y » était le souvenir cuisant d'un exercice de math sur lequel il venait de se casser les dents. L'exercice avait déclenché la crise : stylo jeté, cahier claqué (de toute façon j'y comprends rien, je m'*en* branle, *ça* me gonfle, etc.), élève fichu à la porte et piquant une nouvelle crise à l'heure suivante, chez moi, en français, où il se heurtait à une autre difficulté, grammaticale celle-là, mais qui le renvoyait brutalement au souvenir de la précédente...

– J'y arriverai jamais, je vous dis. L'école c'est pas fait pour moi, m'sieur !

(Débat national, mon petit gars, et bientôt séculaire. Savoir si l'école est faite pour toi ou toi pour l'école, tu n'imagines pas comme on s'étripe à ce propos dans l'olympe éducatif.)

– Il y a trois ans, pensais-tu que tu serais un jour en quatrième ?

– Pas vraiment, non. Et puis, en CM2 ils voulaient que je redouble.

– Eh bien tu *y* es quand même, en quatrième. Tu *y* es arrivé.

(À l'ancienneté, peut-être, en piètre état je te l'accorde, de plus ou moins bon gré, ça te regarde, à plus ou moins juste titre, ça se discute en haut lieu, mais tu *y* es quand même arrivé, le fait est là, et nous tous avec toi, et maintenant que nous *y* sommes, nous allons *y* passer l'année, *y* travailler, *en* profiter pour résoudre quelques problèmes, à commencer par les plus urgents de tous : cette peur de ne pas *y* arriver, cette tentation de *t'en* foutre, et cette manie de tout fourrer dans le même *tout*. Il y a des tas de gens, dans cette ville, qui ont peur de ne pas *y* arriver et qui croient s'*en* foutre... Mais ils ne s'*en* foutent pas du tout ; ils friment, ils dépriment, ils dérivent, ils gueulent, ils cognent, ils jouent à faire peur, mais s'il y a une chose dont ils ne se foutent pas, c'est bien de ce « y » et de ce « en » qui leur pourrissent la vie, et de ce « tout » qui les gonfle.)

– Ça sert à rien, de toute façon !

– D'accord, on va s'occuper de ce « ça », aussi et de ce « rien ». Et du verbe « servir », tant qu'on y est. Parce qu'il commence à me taper sur les nerfs, le verbe « servir » ! Ça sert à rien, ça sert à rien, et dans ta bouche, maintenant, il sert à quoi, le verbe « servir » ? Il est temps de lui poser la question.

Cette année-là, donc, nous avons ouvert le ventre de ce « y », de ce « en », de ce « ça », de ce « tout », de ce « rien ». Chaque fois qu'ils faisaient irruption dans la classe, nous partions à la recherche de ce que nous cachaient ces mots si déprimants. Nous avons vidé ces outres infiniment extensibles de ce qui alourdit la barque de l'élève en perdition, nous les avons vidées comme on écope un canot sur le point de couler, et nous avons examiné de près le contenu de ce que nous jetions par-dessus bord :

« Y » : cet exercice de math d'abord, qui avait mis le feu aux poudres.

« Y » : celui de grammaire, ensuite, qui avait rallumé l'incendie. (La grammaire, ça me gonfle encore plus que les math, m'sieur !)

Et ainsi de suite : « y », la langue anglaise qui ne se

laissait pas saisir, « y », la techno qui le gonflait comme le reste (dix ans plus tard elle lui *prendrait la tête* et dix ans plus tard encore elle le *gaverait*), « y », les résultats que tous les adultes attendaient vainement de lui, bref « y », tous les aspects de sa scolarité.

D'où l'apparition du « en », de s'en moquer (s'en foutre, s'en taper, s'en branler, histoire de tester la résistance des oreilles enseignantes. Encore une vingtaine d'années et *s'en battre les couilles* viendrait s'ajouter à la liste).

« En », le constat quotidien de son échec,

« En », l'opinion que les adultes ont de lui,

« En », ce sentiment d'humiliation qu'il préfère reconvertir en haine des professeurs et en mépris des bons élèves...

D'où son refus de chercher à comprendre l'énorme « ça » qui ne sert à « rien », cette envie permanente d'être ailleurs, de faire autre chose, n'importe où ailleurs et n'importe quoi d'autre.

Leur dissection scrupuleuse de ce « y » révéla à ces élèves l'image qu'ils se faisaient d'eux-mêmes : des nuls fourvoyés dans un univers absurde, qui préféraient s'en foutre, puisqu'ils ne s'y voyaient aucun avenir.

– Même pas en rêve, monsieur !

No future.

« Y » ou l'avenir inaccessible.

Seulement à ne s'envisager aucun futur, on ne s'installe pas non plus dans le présent. On est assis sur sa chaise mais ailleurs, prisonnier des limbes de la déploration, un temps qui ne passe pas, une sorte de perpétuité, un sentiment de torture qu'on ferait payer à n'importe qui, et au prix fort.

D'où ma résolution de professeur : user de l'analyse grammaticale pour les ramener ici, maintenant, afin d'*y* éprouver le délice très particulier de comprendre à quoi sert un pronom adverbial, un mot capital qu'on utilise mille fois par jour, sans *y* penser. Parfaitement inutile, devant cet élève en colère, de se perdre en arguties morales ou psychologiques, l'heure n'est pas au débat, elle est à l'urgence.

Une fois « y » et « en » vidés et nettoyés, nous les avons dûment étiquetés. Deux pronoms adverbiaux fort pratiques pour noyer le poisson dans une conversation épineuse. Nous les avons comparés à des caves du langage, ces pronoms, à des greniers inaccessibles, à une valise qu'on n'ouvre jamais, à un paquet oublié dans une consigne dont on aurait perdu la clef.

– Une planque, monsieur, une sacrée planque !

Pas si bonne en l'occurrence. On croit s'y cacher et voilà que la planque nous digère. « Y » et « en » nous avalent et nous ne savons plus qui nous sommes.

3

Les maux de grammaire se soignent par la grammaire, les fautes d'orthographe par l'exercice de l'orthographe, la peur de lire par la lecture, celle de ne pas comprendre par l'immersion dans le texte, et l'habitude de ne pas réfléchir par le calme renfort d'une raison strictement limitée à l'objet qui nous occupe, ici, maintenant, dans cette classe, pendant cette heure de cours, tant que nous y sommes.

J'ai hérité cette conviction de ma propre scolarité. On m'y a beaucoup fait la morale, on a souvent essayé de me raisonner, et avec bienveillance, car les gentils ne manquent pas chez les professeurs. Le directeur du collège où m'avait expédié mon cambriolage domestique, par exemple. C'était un marin, un ancien commandant de bord, rompu à la patience des océans, père de famille et mari attentif d'une épouse qu'on disait atteinte d'un mal mystérieux. Un homme fort occupé par les siens et par la direction de ce pensionnat où les cas de mon espèce ne manquaient pas. Combien d'heures a-t-il pourtant épuisées à me convaincre que je n'étais pas l'idiot que je prétendais être, que mes rêves d'exil africain étaient des tentatives de fuite, et qu'il suffisait de me mettre sérieusement au travail pour lever l'hypothèque que mes jérémiades faisaient peser sur mes aptitudes ! Je le trouvais bien bon de s'intéresser à moi, lui qui avait tant de soucis, et je promettais de me reprendre, oui, oui, tout de suite. Seulement, dès que je me retrouvais en cours de math, ou à l'étude du soir penché sur une leçon de sciences naturelles, il ne restait plus rien de l'invincible confiance que j'avais retirée de notre entretien. C'est que nous n'avions pas parlé d'algèbre, monsieur le directeur et moi, ni de la photosynthèse, mais de volonté, mais de concentration, c'était de moi que nous avions parlé, un moi tout à fait susceptible de progresser, il en était convaincu, si je m'y mettais vraiment ! Et ce moi, gonflé d'un soudain espoir, jurait de s'appliquer, de ne plus se raconter d'histoires ; hélas, dix minutes plus tard, confronté à l'algébricité du langage mathématique, il se vidait comme une baudruche, ce moi, et à l'étude du soir il n'était plus que renoncement devant le goût inexplicable des plantes pour le gaz carbonique via l'étrange chlorophylle. Je redevenais le crétin familier qui n'y comprendrait jamais rien, pour la raison qu'il n'y avait jamais rien compris.

De cette mésaventure tant de fois répétée, la conviction m'est restée qu'il fallait parler aux élèves le seul langage de la matière que je leur enseignais. Peur de la grammaire ? Faisons de la grammaire. Pas d'appétit pour la littérature ? Lisons ! Car, aussi étrange que cela puisse vous paraître, ô nos élèves, vous êtes pétris des matières que nous vous enseignons. Vous êtes la matière même de toutes nos matières. Malheureux à l'école ? Peut-être. Chahutés par la vie ? Certains, oui. Mais à mes yeux, faits de mots, tous autant que vous êtes, tissés de grammaire, remplis de discours, même les plus silencieux ou les moins armés en vocabulaire, hantés par vos représentations du monde, pleins de littérature en somme, chacun d'entre vous, je vous prie de me croire.

4

Vanité des interventions psychologiques les mieux intentionnées. Classe de première. Jocelyne est en larmes, le cours ne peut pas commencer. Il n'y a pas plus étanche que le chagrin pour faire écran au savoir. Le rire, on peut l'éteindre d'un regard, mais les larmes...
– Est-ce que quelqu'un a une histoire drôle en réserve ? Il faut faire rire Jocelyne pour qu'on puisse commencer. Creusez-vous la cervelle. Une histoire *très* drôle. Budget, trois minutes, pas plus ; Montesquieu nous attend.

L'histoire drôle jaillit.

Elle est drôle en effet.

Tout le monde rigole, y compris Jocelyne, que j'invite à venir me parler pendant la récréation, si elle en éprouve le besoin.

– D'ici là, tu ne t'occupes *que* de Montesquieu.

Récré. Jocelyne m'expose son malheur. Ses parents ne s'entendent plus. Ils se disputent du matin au soir. Se disent des horreurs. La vie à la maison est infernale, la situation déchirante. Bon, me dis-je, encore deux coureurs de fond qui ont mis vingt ans à se trouver mal assortis ; il y a du divorce dans l'air. Jocelyne, qui n'est pas une mauvaise élève, dégringole dans toutes les matières. Et me voilà bricolant dans son chagrin. Mieux vaut, lui dis-je très prudemment, peut-être, le divorce, tu sais, Jocelyne, enfin... deux divorcés apaisés te seront plus supportables qu'un couple acharné à se détruire...

Etc.

Jocelyne fond de nouveau en larmes :

– Justement, monsieur, ils avaient décidé de divorcer, mais ils viennent d'y renoncer !

Ah !

Bon.

Bon, bon, bon.

Bien.

C'est toujours plus compliqué que ne le croit l'apprenti psychologue.

– ...

– ...

– Connais-tu Maisie Farange ?

– Non, qui c'est ?

– C'est la fille de Beale Farange et de sa femme, dont j'ai oublié le prénom. Deux divorcés célèbres en leur temps. Maisie était petite quand ils se sont séparés, mais elle n'en a pas perdu une miette. Tu devrais faire sa connaissance. C'est un roman. D'un Américain. Henry James. *Ce que savait Maisie.*

Roman complexe au demeurant, que Jocelyne lut durant les semaines suivantes, stimulée par le terrain même de la bataille conjugale. (« Ils se balancent les mêmes arguments que les Farange, monsieur ! »)

Eh oui, pour être saignante de vrai sang, la guerre des couples et le chagrin des enfants n'en sont pas moins littéraires.

Cela dit, quand Montesquieu fait l'honneur de sa présence à notre classe, on se doit d'être présent à Montesquieu.

5

Leur présence en classe... Pas commode, pour ces garçons et ces filles de fournir cinquante-cinq minutes de concentration, dans cinq ou six cours successifs, selon cet emploi si particulier que l'école fait du temps. Quel casse-tête, l'emploi du temps ! Répartition des classes, des matières, des heures, des élèves, en fonction du nombre de salles, de la constitution des demi-groupes, du nombre de matières optionnelles, de la disponibilité des labos, des desiderata incompatibles du professeur de ceci et de la professeur de cela... Il est vrai qu'aujourd'hui la tête du proviseur est sauvée par l'ordinateur auquel il confie ces paramètres : « Désolé pour votre mercredi après-midi, madame Untel, c'est l'ordinateur. »

– Cinquante-cinq minutes de français, expliquais-je à mes élèves, c'est une petite heure avec sa naissance, son milieu et sa fin, une vie entière, en somme.

Cause toujours, auraient-ils pu me répondre, une vie de littérature qui ouvre sur une vie de mathématiques, laquelle donne sur une pleine existence d'histoire, qui vous propulse sans raison dans une autre vie, anglaise celle-là, ou allemande, ou chimique, ou musicale... Ça en fait des réincarnations en une seule journée ! Et sans aucune logique ! C'est *Alice au pays des merveilles*, votre emploi du temps : on prend le thé chez le lièvre de mars et on se retrouve sans transition à jouer au croquet avec la reine de cœur. Une journée passée dans le shaker de Lewis Carroll, le merveilleux en moins, vous parlez d'une gymnastique ! Et ça se donne des allures de rigueur, par-dessus le marché, une absolue pagaille taillée comme un jardin à la française, bosquet de cinquante-cinq minutes par bosquet de cinquante-cinq minutes. Il n'y a guère que la journée d'un psychanalyste et le salami du charcutier pour être découpés en tranches aussi égales. Et ça, toutes les semaines de l'année ! Le hasard sans la surprise, un comble !

Il serait tentant de leur répondre : Cessez de rouspéter, chers élèves, et mettez-vous à notre place, votre comparaison avec le psychanalyste n'est d'ailleurs pas mauvaise ; tous les jours dans son cabinet, le pauvre, à voir défiler le malheur du monde, et nous dans nos classes à voir défiler son ignorance, par groupes de trente-cinq et à heure fixe, notre vie entière, laquelle – perception logarithmique ou pas – est beaucoup plus longue que votre trop brève jeunesse, vous verrez, vous verrez...

Mais non, ne jamais demander à un élève de se mettre à la place d'un professeur, la tentation du ricanement est trop forte. Et ne jamais lui proposer de mesurer son temps au nôtre : notre heure n'est vraiment pas la sienne, nous n'évoluons pas dans la même durée. Quant à lui parler de nous ou de lui-même, pas question : hors sujet. Nous en tenir à ce que nous avons décidé : cette heure de grammaire doit être une bulle dans le temps. Mon travail consiste à faire en sorte que mes élèves se sentent exister *grammaticalement* pendant ces cinquante-cinq minutes.

Pour y parvenir, ne pas perdre de vue que les heures ne se ressemblent pas : les heures de la matinée ne sont pas celles de l'après-midi ; les heures du réveil, les heures digestives, celles qui précèdent les récréations, celles qui les suivent, toutes sont différentes. Et l'heure qui succède au cours de math ne se présente pas comme celle qui suit le cours de gym ...

Ces différences n'ont guère d'incidence sur l'attention des bons élèves. Ceux-ci jouissent d'une faculté bénie : changer de peau à bon escient, au bon moment, au bon endroit, passer de l'adolescent agité à l'élève attentif, de l'amoureux éconduit au matheux concentré, du joueur au bûcheur, de l'ailleurs à l'ici, du passé au présent, des mathématiques à la littérature... C'est leur vitesse d'incarnation qui distingue les bons élèves des élèves à problèmes. Ceux-ci, comme le leur reprochent leurs professeurs, sont souvent ailleurs. Ils se libèrent plus difficilement de l'heure précédente, ils traînent dans un souvenir ou se projettent dans un quelconque désir d'autre chose. Leur chaise est un tremplin qui les expédie hors de la classe à la seconde où ils s'y posent. À moins qu'ils ne s'y endorment. Si je veux espérer leur pleine présence mentale, il me faut les aider à s'installer dans mon cours. Les moyens d'y arriver ? Cela s'apprend, surtout sur le terrain, à la longue. Une seule certitude, la présence de mes élèves dépend étroitement de la mienne : de ma présence à la classe entière et à chaque individu en particulier, de ma présence à ma matière aussi, de ma présence physique, intellectuelle et mentale, pendant les cinquante-cinq minutes que durera mon cours.

6

Ô le souvenir pénible des cours où je n'y étais pas !
Comme je les sentais flotter, mes élèves, ces jours-là,
tranquillement dériver pendant que j'essayais de
rameuter mes forces. Cette sensation de perdre ma
classe... Je n'y suis pas, ils n'y sont plus, nous avons
décroché. Pourtant, l'heure s'écoule. Je joue le rôle
de celui qui fait cours, ils font ceux qui écoutent.
Bien sérieuse notre mine commune, blabla d'un
côté, griffonnage de l'autre, un inspecteur s'en satis-
ferait peut-être ; pourvu que la boutique ait l'air
ouverte... Mais je n'y suis pas, nom d'un chien, je n'y
suis pas, aujourd'hui, je suis ailleurs. Ce que je dis ne
s'incarne pas, ils se foutent éperdument de ce qu'ils
entendent. Ni questions ni réponses. Je me replie
derrière le cours magistral. L'énergie démesurée que
je dilapide alors pour faire prendre ce ridicule filet
de savoir ! Je suis à cent lieues de Voltaire, de Rousseau, de Diderot, de cette classe, de ce bahut, de cette
situation, je m'épuise à réduire la distance mais pas
moyen, je suis aussi loin de ma matière que de ma
classe. Je ne suis pas le professeur, je suis le gardien

du musée, je guide mécaniquement une visite obligatoire.

Ces heures ratées me laissaient sur les genoux. Je sortais de ma classe épuisé et furieux. Une fureur dont mes élèves risquaient de faire les frais toute la journée, car il n'y a pas plus prompt à vous engueuler qu'un professeur mécontent de lui-même. Attention les mômes, rasez les murs, votre prof s'est donné une mauvaise note, le premier responsable venu fera l'affaire ! Sans parler de la correction de vos copies, ce soir, à la maison. Un domaine où la fatigue et la mauvaise conscience ne sont pas bonnes conseillères ! Mais non, pas de copies ce soir, et pas de télé, pas de sortie, au lit ! La première qualité d'un professeur, c'est le sommeil. Le bon professeur est celui qui se couche tôt.

7

Elle est immédiatement perceptible, la présence du professeur qui habite pleinement sa classe. Les élèves la ressentent dès la première minute de l'année, nous en avons tous fait l'expérience : le professeur vient d'entrer, il est absolument là, cela s'est vu à sa façon de regarder, de saluer ses élèves, de s'asseoir, de prendre possession du bureau. Il ne s'est pas éparpillé par crainte de leurs réactions, il ne s'est pas recroquevillé sur lui-même, non, il est à son affaire, d'entrée de jeu, il est présent, il distingue chaque visage, la classe existe aussitôt sous ses yeux.

Cette présence, je l'ai éprouvée une nouvelle fois, il y a peu, au Blanc-Mesnil, où m'invitait une jeune collègue qui avait plongé ses élèves dans un de mes romans. Quelle matinée j'ai passée là ! Bombardé de questions par des lecteurs qui semblaient posséder mieux que moi la matière de mon livre, l'intimité de mes personnages, qui s'exaltaient sur certains passages et s'amusaient à épingler mes tics d'écriture... Je m'attendais à répondre à des questions sagement rédigées, sous l'œil d'un professeur légèrement en retrait, soucieux du seul ordre de la classe, comme cela m'arrive assez souvent, et voilà que j'étais pris dans le tourbillon d'une controverse littéraire où les élèves me posaient fort peu de questions convenues. Quand l'enthousiasme emportait leurs voix au-dessus du niveau de décibels supportable, leur professeur m'interrogeait elle-même, deux octaves plus bas, et la classe entière se rangeait à cette ligne mélodique.

Plus tard, dans le café où nous déjeunions, je lui ai demandé comment elle s'y prenait pour maîtriser tant d'énergie vitale.

Elle a d'abord éludé :

– Ne jamais parler plus fort qu'eux, c'est le truc.

Mais je voulais en savoir davantage sur la maîtrise qu'elle avait de ces élèves, leur bonheur manifeste d'être là, la pertinence de leurs questions, le sérieux de leur écoute, le contrôle de leur enthousiasme, leur emprise sur eux-mêmes quand ils n'étaient pas d'accord entre eux, l'énergie et la gaieté de l'ensemble, bref tout ce qui tranchait tellement avec la représentation effrayante que les médias propagent de ces classes blackébeures.

Elle fit la somme de mes questions, réfléchit un peu et répondit :

– Quand je suis avec eux ou dans leurs copies je ne suis pas ailleurs.

Elle ajouta :

– Mais, quand je suis ailleurs, je ne suis plus du tout avec eux.

Son ailleurs, en l'occurrence, était un quatuor à cordes qui exigeait de son violoncelle l'absolu que réclame la musique. Du reste, elle voyait un rapport de nature entre une classe et un orchestre.

– Chaque élève joue de son instrument, ce n'est pas la peine d'aller contre. Le délicat, c'est de bien connaître nos musiciens et de trouver l'harmonie. Une bonne classe, ce n'est pas un régiment qui marche au pas, c'est un orchestre qui travaille la même symphonie. Et si vous avez hérité du petit triangle qui ne sait faire que ting ting, ou de la guimbarde qui ne fait que bloïng bloïng, le tout est qu'ils le fassent au bon moment, le mieux possible, qu'ils deviennent un excellent triangle, une irréprochable guimbarde, et qu'ils soient fiers de la qualité que leur contribution confère à l'ensemble. Comme le goût de l'harmonie les fait tous progresser, le petit triangle finira lui aussi par connaître la musique, peut-être pas aussi brillamment que le premier violon, mais il connaîtra la même musique.

Elle eut une moue fataliste :

– Le problème, c'est qu'on veut leur faire croire à un monde où seuls comptent les premiers violons.

Un temps :

– Et que certains collègues se prennent pour des Karajan qui supportent mal de diriger l'orphéon municipal. Ils rêvent tous du Philharmonique de Berlin, ça peut se comprendre...

Puis, en nous quittant, comme je lui répétais mon admiration, elle répondit :

– Il faut dire que vous êtes venu à dix heures. Ils étaient réveillés.

8

Il y a l'appel du matin. Entendre son nom prononcé par la voix du professeur, c'est un second réveil. Le son que fait votre nom à huit heures du matin a des vibrations de diapason.

– Je ne peux pas me résoudre à négliger les appels, surtout celui du matin, m'explique une autre professeur – de math, cette fois –, même si je suis pressée. Réciter une liste de noms comme on compte des moutons, ce n'est pas possible. J'appelle mes lascars en les regardant, je les accueille, je les *nomme* un à un, et j'écoute leur réponse. Après tout, l'appel est le seul moment de la journée où le professeur a l'occasion de s'adresser à chacun de ses élèves, ne serait-ce qu'en prononçant son nom. Une petite seconde où l'élève doit sentir qu'il existe à mes yeux, lui et pas un autre. Quant à moi, j'essaye autant que possible de saisir son humeur du moment au son que fait son « Présent ». Si sa voix est fêlée, il faudra éventuellement en tenir compte.

L'importance de l'appel...

Nous jouions à un petit jeu, mes élèves et moi. Je

les appelais, ils répondaient, et je répétais leur
« Présent », à mi-voix mais sur le même ton, comme
un lointain écho :

– Manuel ?
– Présent !
– « Présent ». Lætitia ?
– Présente !
– « Présente ». Victor ?
– Présent !
– « Présent ». Carole ?
– « Présente ! »
– « Présente ». Rémi ?

J'imitais le « Présent » retenu de Manuel, le « Présent » clair de Lætitia, le « Présent » vigoureux de
Victor, le « Présent » cristallin de Carole... J'étais
leur écho du matin. Certains s'appliquaient à rendre
leur voix le plus opaque possible, d'autres s'amusaient à changer d'intonation pour me surprendre,
ou répondaient « Oui », ou « Je suis là », ou « C'est
bien moi ». Je répétais tout bas la réponse, quelle
qu'elle fût, sans manifester de surprise. C'était notre
moment de connivence, le bonjour matinal d'une
équipe qui allait se mettre à l'ouvrage.

Mon ami Pierre, lui, professeur à Ivry, ne fait
jamais l'appel.

– Enfin, deux ou trois fois au début de l'année, le
temps de connaître leurs noms et leurs visages.
Autant passer tout de suite aux choses sérieuses.

Ses élèves attendent en rangs, dans le couloir,
devant la porte de sa classe. Partout ailleurs dans le
collège, on court, on s'interpelle, on bouscule les

chaises et les tables, on envahit l'espace, on sature le volume sonore ; Pierre, lui, attend que les rangs se forment, puis il ouvre la porte, regarde garçons et filles entrer un par un, échange par-ci par-là un « Bonjour » qui va de soi, referme la porte, se dirige à pas mesurés vers son bureau, les élèves attendant, debout derrière leurs chaises. Il les prie de s'asseoir, et commence : « Bon, Karim, où en étions-nous ? » Son cours est une conversation qui reprend là où elle s'est interrompue.

À la gravité qu'il met à sa tâche, à l'affectueuse confiance que lui portent ses élèves, à leur fidélité une fois devenus adultes, j'ai toujours vu mon ami Pierre comme une réincarnation de l'oncle Jules.

– Au fond, tu es l'oncle Jules du Val-de-Marne !

Il éclate de son rire formidable :

– Tu as raison, mes collègues me prennent pour un prof du xixe siècle ! Ils croient que je collectionne les marques de respect extérieur, que la mise en rangs, les gosses debout derrière leur chaise, ce genre de trucs, tient à une nostalgie des temps anciens. Remarque, ça n'a jamais fait de mal à personne, un peu de politesse, mais en l'occurrence il s'agit d'autre chose : en installant mes élèves dans le silence, je leur donne le temps d'atterrir dans mon cours, de commencer par le calme. De mon côté, j'examine leurs têtes, je note les absents, j'observe les groupes qui se font et se défont ; bref, je prends la température matinale de la classe.

Aux dernières heures de l'après-midi, quand nos élèves tombaient de fatigue, Pierre et moi pratiquions sans le savoir le même rituel. Nous leur demandions d'écouter la ville (lui Ivry, moi Paris). Suivaient deux minutes d'immobilité et de silence où le boucan du dehors confirmait la paix du dedans. Ces heures-là, nous faisions nos cours à voix plus basse ; souvent nous les terminions par une lecture.

9

En aura-t-elle proféré, des sottises, ma génération, sur les rituels considérés comme marque de soumission aveugle, la notation estimée avilissante, la dictée réactionnaire, le calcul mental abrutissant, la mémorisation des textes infantilisante, ce genre de proclamation... Il en va de la pédagogie comme du reste : dès que nous cessons de réfléchir sur des cas particuliers (or, dans ce domaine, tous les cas sont particuliers), nous cherchons, pour régler nos actes, l'ombre de la bonne doctrine, la protection de l'autorité compétente, la caution du décret, le blanc-seing idéologique. Puis nous campons sur des certitudes que rien n'ébranle, pas même le démenti quotidien du réel. Trente ans plus tard seulement, si l'Éducation nationale entière vire de bord pour éviter l'iceberg des désastres accumulés, nous nous autorisons un timide virage intérieur, mais c'est le virage du paquebot lui-même, et nous voilà suivant le cap d'une nouvelle doctrine, sous la houlette d'un nouveau commandement, au nom de notre libre arbitre bien entendu, éternels anciens élèves que nous sommes.

Réactionnaire, la dictée ? Inopérante en tout cas, si elle est pratiquée par un esprit paresseux qui se contente de défalquer des points dans le seul but de décréter un niveau ! Avilissante, la notation ? Certes, quand elle ressemble à cette cérémonie, vue il y a peu à la télévision, d'un professeur rendant leurs copies à ses élèves, chaque devoir lâché devant chaque criminel comme un verdict annoncé, le visage du professeur irradiant la fureur et ses commentaires vouant tous ces bons à rien à l'ignorance définitive et au chômage perpétuel. Mon Dieu, le silence haineux de cette classe ! Cette réciprocité manifeste du mépris !

11

J'ai toujours conçu la dictée comme un rendez-vous complet avec la langue. La langue telle qu'elle sonne, telle qu'elle raconte, telle qu'elle raisonne, la langue telle qu'elle s'écrit et se construit, le sens tel qu'il se précise par l'exercice méticuleux de la correction. Car il n'y a pas d'autre but à la correction d'une dictée que l'accès au sens exact du texte, à l'esprit de la grammaire, à l'ampleur des mots. Si la note doit mesurer quelque chose, c'est la distance parcourue par l'intéressé sur le chemin de cette compréhension. Ici comme en analyse littéraire, il s'agit de passer de la singularité du texte (quelle histoire va-t-on me raconter ?) à l'élucidation du sens (qu'est-ce que tout cela veut dire exactement ?), en transitant par la passion du fonctionnement (comment ça marche ?).

Quelles qu'aient été mes terreurs d'enfant à l'approche d'une dictée – et Dieu sait que mes professeurs pratiquaient la dictée comme une razzia de riches dans un quartier pauvre ! –, j'ai toujours éprouvé la curiosité de sa première lecture. Toute dictée commence par un mystère : que va-t-on me lire là ? Certaines dictées de mon enfance étaient si belles qu'elles continuaient à fondre en moi comme un bonbon acidulé, longtemps après la note infamante qu'elles m'avaient pourtant coûtée. Mais, ce zéro en orthographe, ou ce moins 15, ce moins 27 !, j'en avais fait un refuge dont personne ne pouvait me chasser. Inutile de m'épuiser en corrections puisque le résultat m'était connu d'avance !

Combien de fois, enfant, ai-je affirmé à mes professeurs ce que mes élèves me répéteraient à leur tour si souvent :

– De toute façon j'aurai toujours zéro en dictée !

– Ah bon, Nicolas ? Qu'est-ce qui te fait croire ça ?

– J'ai toujours eu zéro !

– Moi aussi, m'sieur !

– Toi aussi, Véronique ?

– Et moi aussi, moi aussi !

– C'est une épidémie, alors ! Levez le doigt, ceux qui ont toujours eu zéro en orthographe.

C'était une conversation de début d'année, pendant notre prise de contact, avec des quatrièmes par exemple ; elle ouvrait systématiquement sur la première dictée d'une longue série :

– D'accord, on va bien voir. Prenez une feuille, écrivez *Dictée*.

– Oh, non m'sieueueueur !

– Ça ne se négocie pas. *Dictée*. Écrivez : *Nicolas prétend qu'il aura toujours zéro en orthographe... Nicolas prétend...*

Une dictée non préparée, que j'imaginais sur place, écho instantané à leur aveu de nullité :

146

Nicolas prétend qu'il aura toujours zéro en ortho-graphe, pour la seule raison qu'il n'a jamais obtenu une autre note. Frédéric, Sami et Véronique partagent son opinion. *Le zéro, qui les poursuit depuis leur pre-mière dictée, les a rattrapés et avalés.* À les entendre, chacun d'eux habite un zéro d'où il ne peut pas sortir. *Ils ne savent pas qu'ils ont la clé dans leur poche.*

Pendant que j'imaginais le texte, y distribuant un petit rôle à chacun d'eux, histoire d'émoustiller leur curiosité, je faisais mes comptes grammaticaux : un participe conjugué avec avoir, COD placé derrière ; un présent singulier précédé d'un pronom complé-ment pluriel et d'un pronom relatif sujet ; deux autres participes avec avoir, COD placé devant ; un infinitif précédé d'un pronom complément, etc.

La dictée achevée, nous entamions sa correction immédiate :

– Bon, Nicolas, lis-nous la première phrase.

– *Nicolas prétend qu'il aura toujours zéro en ortho-graphe.*

– C'est la première phrase ? Elle s'arrête là, tu es sûr ?

– ...

– Lis attentivement.

– Ah ! non, *pour la raison qu'il n'a jamais obtenu une autre note.*

– Bien. Quel est le premier verbe conjugué ?

– *Prétend ?*

– Oui. Infinitif ?

– *Prétendre.*

– Quel groupe ?

– Euh...

– Troisième, je t'expliquerai tout à l'heure. Quel temps ?

– Présent.

– Le sujet ?

– Moi. Enfin, *Nicolas*.

– La personne ?

– Troisième personne du singulier.

– Troisième personne de *prétendre* au présent, oui. Faites attention à la terminaison. À toi, Véronique, quel est le deuxième verbe de cette phrase ?

– *a* !

– *a* ? Le verbe avoir ? Tu en es sûre ? Relis.

– ...

– ...

– Non, pardon, m'sieur, c'est *a obtenu*. C'est le verbe *obtenir* !

– À quel temps ?

Une correction qui reprend tout de zéro puisque c'est de là que nous affirmons partir. En quatrième ? Eh oui ! tout reprendre de zéro en quatrième ! Jusqu'en troisième il n'est jamais trop tard pour repartir de zéro, quoi qu'on pense des impératifs du programme ! Je ne vais quand même pas entériner un perpétuel manque de bases, refiler systématiquement la patate chaude au collègue suivant ! Allez, on repart de zéro : chaque verbe interrogé, chaque nom, chaque adjectif, chaque lien, pas à pas, une langue qu'ils ont mission de reconstruire à chaque dictée, mot à mot, groupe à groupe.

– *Raison*, nom commun, féminin singulier.

– Un déterminant ?

– *La* !

– Qu'est-ce que c'est, comme déterminant ?

– Un article !

– Quel genre d'article ?

– Défini !

– *Raison* a-t-il un adjectif qualificatif ? Devant ? Derrière ? Loin ? Près ?

– Devant, oui : *seule*. Derrière... aucun. Pas d'adjectif derrière. Juste *seule*.

– Faites l'accord si vous avez oublié de le faire.

Ces dictées, quotidiennes, des premières semaines se présentaient sous la forme de brefs récits où nous tenions le journal de la classe. Elles n'étaient pas préparées. Dès leur point final elles ouvraient sur cette correction immédiate, millimétrique et collective. Puis venait la correction secrète du professeur, la mienne, chez moi, et la remise des copies le lendemain, la note, la fameuse note, histoire de voir la tête que ferait Nicolas en sortant pour la première fois de son zéro. La bouille de Nicolas, de Véronique ou de Sami le jour où ils brisaient la coquille de l'œuf orthographique. Affranchis de la fatalité ! Enfin ! Oh, la charmante éclosion !

De dictée en dictée, l'assimilation des raisonnements grammaticaux déclenchait des automatismes qui rendaient les corrections de plus en plus rapides.

Les championnats de dictionnaire faisaient le reste. C'était la partie olympique de l'exercice. Une sorte de récréation sportive. Il s'agissait, chronomètre en main, d'arriver le plus vite possible au mot recherché, de l'extraire du dictionnaire, de le corriger, de le réimplanter dans le cahier collectif de la classe et dans un petit carnet individuel, et de passer au mot suivant. La maîtrise du dictionnaire a toujours fait partie de mes priorités et j'ai formé de prodigieux athlètes sur ce terrain, des sportifs de douze ans qui vous tombaient sur le mot recherché en deux coups, trois maximum ! Le sens du rapport entre la classification alphabétique et l'épaisseur d'un dictionnaire, voilà un domaine où bon nombre de mes élèves me battaient à plate couture ! (Tant que nous y étions, nous avions étendu l'étude des systèmes de classification aux librairies et aux bibliothèques en y recherchant les auteurs, les titres et les éditeurs des romans que nous lisions en classe ou que je leur racontais. Arriver le premier sur le titre de son choix, c'était un défi ! Parfois, le libraire offrait le livre au gagnant.)

Ainsi allaient nos dictées quotidiennes jusqu'au jour où je passai commande de la dictée suivante à un de mes anciens nuls :

– Sami, s'il te plaît, écris-nous la dictée de demain : un texte de six lignes avec deux verbes pronominaux, un participe avec « avoir », un infinitif du premier groupe, un adjectif démonstratif, un adjectif possessif, deux ou trois mots difficiles que nous avons vus ensemble et un ou deux petits trucs de ton choix.

Véronique, Sami, Nicolas et les autres concevaient les textes à tour de rôle, les dictaient eux-mêmes et en guidaient la correction. Cela, jusqu'à ce que chaque élève de la classe puisse voler de ses propres ailes, devenir, sans aucune aide, dans le silence de sa tête, son propre et méthodique correcteur.

Les échecs – il y en avait, bien sûr – relevaient le plus souvent d'une cause extra-scolaire : une dyslexie, une surdité non repérées... Cet élève de troisième, par exemple, dont les fautes ne ressemblaient à rien, altération du *i* ou du *é* en *a*, du *u* en *o*, et qui s'avéra ne pas entendre les fréquences aiguës. Sa mère n'avait pas pensé une seconde que le garçon pût être sourd. Quand il revenait du marché, ayant oublié une partie des commissions, quand il répondait à côté, quand il semblait ne pas avoir entendu ce qu'elle lui disait, abîmé qu'il était dans une lecture, dans un puzzle ou dans une maquette de voilier, elle mettait ses silences sur le compte d'une distraction qui l'émouvait. « J'ai toujours cru que mon fils était un grand rêveur. » L'imaginer sourd était au-dessus de ses forces de mère.

(Un audiogramme et un examen très précis de la vue devraient être obligatoires avant l'entrée de chaque enfant à l'école. Ils éviteraient les jugements erronés des professeurs, pallieraient l'aveuglement de la famille, et libéreraient les élèves de douleurs mentales inexplicables.)

Une fois chacun sorti de son zéro, les dictées devenaient moins nombreuses et plus longues, dictées hebdomadaires et littéraires, dictées signées Hugo, Valéry, Proust, Tournier, Kundera, si belles parfois que nous les apprenions par cœur, comme ce texte de Cohen emprunté au *Livre de ma mère* :

Mais pourquoi les hommes sont-ils méchants ? Pourquoi sont-ils si vite haineux, hargneux ? Pourquoi adorent-ils se venger, dire vite du mal de vous, eux qui vont bientôt mourir, les pauvres ? Que cette horrible aventure des humains qui arrivent sur cette terre, rient, bougent, puis soudain ne bougent plus, ne les rende pas bons, c'est incroyable. Et pourquoi vous répondent-ils si vite d'une voix de cacatoès, si vous êtes doux avec eux, ce qui leur donne à penser que vous êtes sans importance, c'est-à-dire sans danger ? Ce qui fait que des tendres doivent faire semblant d'être méchants pour qu'on leur fiche la paix, ou même, ce qui est tragique, pour qu'on les aime. Et si on allait se coucher et affreusement dormir ? Chien endormi n'a pas de puces. Oui, allons dormir, le sommeil a les avantages de la mort sans son petit inconvénient. Allons nous installer dans l'agréable cercueil. Comme j'aimerais pouvoir ôter, tel l'édenté son dentier qu'il met dans un verre d'eau près de son lit, ôter mon cerveau de sa boîte, ôter mon cœur trop battant, ce pauvre bougre qui fait trop bien son devoir, ôter mon cerveau et mon cœur et les baigner, ces deux pauvres milliardaires, dans des solutions rafraîchissantes tandis que je dormirais comme un petit enfant que je ne serai jamais plus. Qu'il y a peu d'humains et que soudain le monde est désert.

Venait enfin l'heure de gloire : le jour où je débarquais chez mes quatrièmes, voire mes sixièmes, avec les dissertations que mes secondes ou mes premières confiaient à leur correction orthographique :

Mes abonnés au zéro métamorphosés en correcteurs ! La volée des moineaux orthographiques s'abattant sur ces copies !

– Le mien, il ne fait aucun accord, m'sieur !

– La mienne, il y a des phrases, on ne sait pas où elles commencent ni où elles finissent...

– Quand j'ai corrigé une faute, qu'est-ce que je marque dans la marge ?

– Ma foi, ce que tu veux...

Protestations rigolardes des intéressés, découvrant les observations de ces correcteurs impitoyables :

– Non mais, regardez ce qu'il a écrit dans la marge : Crétin ! Abruti ! Patate ! En rouge !

– C'est que tu as dû oublier un accord...

S'ensuivait, dans les rangs des grands, une campagne de correction qui, pour l'essentiel, empruntait la méthode appliquée par les petits : interroger verbes et noms avant de rendre sa dissertation, faire les accords appropriés, bref, se livrer à un réglage grammatical qui a pour mérite de révéler les errances de certaines phrases, donc l'approximation de certains raisonnements. À cette occasion, on découvrait, et cela faisait l'objet de quelques cours, que la grammaire est le premier outil de la pensée organisée et que la fameuse analyse logique (dont on conservait bien entendu un souvenir abominable) ajuste les mouvements de notre réflexion, laquelle se trouve aiguisée par le bon usage des fameuses propositions subordonnées.

Il arrivait même qu'on s'offrît, entre grands, une petite dictée, histoire de mesurer le rôle joué par les subordonnées dans le développement d'un raisonnement bien mené. Un jour, La Bruyère en personne nous y aida.

– Tenez, prenez une feuille, et regardez comment, en opposant subordonnées et principales, La Bruyère annonce – en une seule phrase ! – la fin d'un monde et le commencement d'un autre. Je vais vous lire le texte et vous en traduire les mots aujourd'hui incompréhensibles. Écoutez bien. Ensuite vous écrirez en prenant votre temps, je dicterai lentement, vous irez pas à pas, comme si vous raisonniez vous-mêmes !

Pendant que les grands négligent de rien connaître, je ne dis pas seulement aux intérêts des princes et aux affaires publiques, mais à leurs propres affaires ; qu'ils ignorent l'économie et la science d'un père de famille, et qu'ils se louent eux-mêmes de cette ignorance ; qu'ils se laissent appauvrir et maîtriser par des intendants ; qu'ils se contentent d'être gourmets ou coteaux, d'aller chez Thaïs et chez Phryné, de parler de la meute et de l'arrière-meute, de dire combien il y a de postes de Paris à Besançon, ou à Philisbourg, des citoyens s'instruisent du dedans et du dehors d'un royaume, étudient le gouvernement, deviennent fins et politiques, savent le fort et le faible de tout un État, songent à se mieux placer, se placent, s'élèvent, deviennent puissants, soulagent le prince d'une partie des soins publics.

– Et maintenant, l'estocade :

*Les grands, qui les dédaignent, les révèrent : heureux
s'ils deviennent leurs gendres.*

– Deux principales, dont la seconde est elliptique,
heureux (ils sont heureux), tricotées avec deux subordonnées, la relative *qui les dédaignent* et la condition-
nelle finale, meurtrière : *s'ils deviennent leurs gendres.*

12

Et pourquoi ne pas apprendre ces textes par cœur ? Au nom de quoi ne pas s'approprier la littérature ? Parce que ça ne se fait plus depuis longtemps ? On laisserait s'envoler des pages pareilles comme des feuilles mortes, parce que ce n'est plus de saison ? Ne pas *retenir* de telles rencontres, est-ce envisageable ? Si ces textes étaient des êtres, si ces pages exceptionnelles avaient des visages, des mensurations, une voix, un sourire, un parfum, ne passerions-nous pas le reste de notre vie à nous mordre le poing de les avoir laissé filer ? Pourquoi se condamner à n'en conserver qu'une trace qui s'estompera jusqu'à n'être plus que le souvenir d'une trace... (« Il me semble, oui, avoir étudié au lycée un texte, de qui déjà ? La Bruyère ? Montesquieu ? Fénelon ? Quel siècle, xvııᵉ ? xvıııᵉ ? Un texte qui en une seule phrase décrivait le glissement d'un ordre à un autre... ») Au nom de quel principe, ce gâchis ? Uniquement parce que les professeurs d'antan étaient réputés nous faire réciter des poésies souvent idiotes et qu'aux yeux de certains vieux chnoques la mémoire était un muscle à entraîner plus qu'une bibliothèque à enrichir ? Ah ! ces poèmes hebdomadaires auxquels nous ne comprenions rien, chacun chassant le précédent, à croire qu'on nous entraînait surtout à l'oubli ! D'ailleurs, nos professeurs nous les donnaient-ils parce qu'ils les aimaient, ou parce que leurs propres maîtres leur avaient seriné qu'ils appartenaient au Panthéon des Lettres Mortes ? Eux aussi, ils m'en ont collé, des zéros ! Et des heures de colle ! « Évidemment, Pennacchioni, on n'a pas appris sa récitation ! » Mais si, monsieur, je la savais encore hier soir, je l'ai récitée à mon frère, seulement c'était de la poésie hier soir, mais vous ce matin c'est une *récitation* que vous attendez, et moi ça me constipe, cette embuscade.

Bien entendu, je ne disais rien de tout cela, j'avais beaucoup trop peur. Je n'y reviens, à cette terrifiante épreuve de la récitation au pied de l'estrade, que pour essayer de m'expliquer le mépris où l'on tient aujourd'hui toute sollicitation de la mémoire. Ce serait donc pour conjurer ces fantômes qu'on déciderait de ne pas s'incorporer les plus belles pages de la littérature et de la philosophie ? Des textes interdits de souvenir parce que des imbéciles n'en faisaient qu'une affaire de mémoire ? Si tel est le cas, c'est qu'une idiotie a chassé l'autre.

On peut m'objecter qu'un esprit organisé n'a nullement besoin d'apprendre par cœur. Il sait faire son miel de la substantifique moelle. Il retient ce qui fait sens et, quoi que j'en dise, il conserve intact le sentiment de la beauté. D'ailleurs, il peut vous retrouver n'importe quel bouquin en un tournemain dans sa bibliothèque, tomber pile sur les bonnes lignes, en deux minutes. Moi-même, je sais où mon La Bruyère m'attend, je le vois sur son étagère, et mon Conrad, et mon Lermontov, et mon Perros, et mon Chandler... toute ma compagnie est là, alphabétiquement dispersée dans ce paysage que je connais si bien. Sans parler du cyberespace où je peux, du bout de mon index, consulter toute la mémoire de l'humanité. Apprendre par cœur ? À l'heure où la mémoire se compte en gigas !

Tout cela est vrai, mais l'essentiel est ailleurs.

En apprenant par cœur, je ne supplée à rien, j'ajoute à tout.

Le cœur, ici, est celui de la langue.

S'immerger dans la langue, tout est là.

Boire la tasse et en redemander.

En faisant apprendre tant de textes à mes élèves, de la sixième à la terminale (un par semaine ouvrable et chacun d'eux à réciter tous les jours de l'année), je les précipitais tout vifs dans le grand flot de la langue, celui qui remonte les siècles pour venir battre notre porte et traverser notre maison. Bien sûr qu'ils regimbaient, les premières fois ! Ils imaginaient l'eau trop froide, trop profonde, le courant trop fort, leur constitution trop faible. Légitime ! Ils s'offraient des trouilles de plongeoir :

– J'y arriverai jamais !

– J'ai pas de mémoire.

(Me sortir cet argument, à moi, un amnésique de naissance !)

– C'est beaucoup trop long !

– C'est trop difficile !

(À moi, l'ancien crétin de service !)

– Et puis les vers c'est pas comme on parle aujourd'hui !

(Ah ! Ah ! Ah !)

– Ce sera noté, m'sieur ?

(Et comment !)

Sans compter les protestations de la maturité bafouée :

– Apprendre par cœur ? On n'est plus des bébés !

– Je suis pas un perroquet !

Ils jouaient leur va-tout, c'était de bonne guerre. Et puis, ils disaient ce genre de choses, parce qu'ils les entendaient dire. Leurs parents eux-mêmes, parfois, des parents ô combien évolués : « Comment, monsieur Pennacchioni, vous leur faites apprendre des textes par cœur ? Mais mon fils n'est plus un enfant ! » Votre fils, chère madame, n'en finira jamais d'être un enfant de la langue, et vous-même un tout petit bébé, et moi un marmot ridicule, et tous autant que nous sommes menu fretin charrié par le grand fleuve jailli de la source orale des Lettres, et votre fils aimera savoir en quelle langue il nage, ce qui le porte, le désaltère et le nourrit, et se faire lui-même porteur de cette beauté, et avec quelle fierté !, il va adorer ça, faites-lui confiance, le goût de ces mots dans sa bouche, les fusées éclairantes de ces pensées dans sa tête, et découvrir les capacités prodigieuses de sa mémoire, son infinie souplesse, cette caisse de résonance, ce volume inouï où faire chanter les plus belles phrases, sonner les idées les plus claires, il va en raffoler de cette natation sublinguistique lorsqu'il aura découvert la grotte insatiable de sa mémoire, il adorera plonger dans la langue, y pêcher les textes en profondeur, et tout au long de sa vie les savoir là, constitutifs de son être, pouvoir se les réciter à l'improviste, se les dire à lui-même pour la saveur des mots. Porteur d'une tradition écrite grâce à lui redevenue orale il ira peut-être même jusqu'à les dire à quelqu'un d'autre, pour le partage, pour les jeux de la séduction, ou pour faire le cuistre, c'est un risque à courir. Ce faisant il renouera avec ces temps d'avant l'écriture où la survie de la pensée dépendait de notre seule voix. Si vous me parlez régression, je vous répondrai retrouvailles ! Le savoir est d'abord charnel. Ce sont nos oreilles et nos yeux qui le captent, notre bouche qui le transmet. Certes, il nous vient des livres, mais les livres sortent de nous. Ça fait du bruit, une pensée, et le goût de lire est un héritage du besoin de dire.

13

Ah ! un dernier mot. Ne vous inquiétez pas, chère madame (pourrais-je ajouter aujourd'hui à cette maman qui, de génération en génération, ne change pas), toute cette beauté dans la tête de vos enfants, ce n'est pas ce qui va les empêcher de chatter phonétique avec leurs petits copains sur la toile, ni d'envoyer ces sms qui vous font pousser des cris d'orfraie : « Mon Dieu, quelle orthographe ! Comment s'expriment les jeunes d'aujourd'hui ! Mais que fait l'École ? » Rassurez-vous, en faisant travailler vos enfants, nous n'entamerons pas votre capital d'inquiétude maternelle.

14

Un texte par semaine, donc, que nous devions pouvoir réciter chaque jour de l'année, à l'improviste, eux comme moi. Et numérotés, pour corser la difficulté. Première semaine, texte n° 1. Deuxième semaine, texte n° 2. Vingt-troisième semaine, texte n° 23. Toutes les apparences d'une mécanique idiote, mais ces numéros en guise de titre, c'était pour jouer, pour ajouter le plaisir du hasard à la fierté du savoir.

– Amélie, récite-nous donc le 19.
– Le 19 ? C'est le texte de Constant sur la timidité, le début d'*Adolphe*.
– Tout juste, on t'écoute.

Mon père était timide... Ses lettres étaient affec-tueuses, pleines de conseils raisonnables et sensibles ; mais à peine étions-nous en présence l'un de l'autre, qu'il y avait en lui quelque chose de contraint que je ne pouvais m'expliquer, et qui réagissait sur moi de manière pénible. Je ne savais pas alors ce que c'était que la timidité, cette souffrance intérieure qui nous poursuit jusque dans l'âge le plus avancé, qui refoule sur notre cœur les impressions les plus profondes, qui glace nos paroles, qui dénature dans notre bouche tout ce que nous essayons de dire, et ne nous permet de nous exprimer que par des mots vagues ou une ironie plus ou moins amère, comme si nous voulions nous venger sur nos sentiments mêmes de la douleur que nous éprouvons à ne pouvoir les faire connaître. Je ne savais pas que, même avec son fils, mon père était timide, et que souvent, après avoir longtemps attendu de moi quelque témoignage de mon affection que sa froideur apparente semblait m'interdire, il me quittait les yeux mouillés de larmes, et se plaignait à d'autres de ce que je ne l'aimais pas.

– Formidable. 18 sur 20. François, le 8.
– Le 8, Woody Allen ! *Le lion et l'agneau.*
– Vas-y.

Le lion et l'agneau partageront la même couche mais l'agneau ne dormira pas beaucoup.

– Impeccable. 20 sur 20 ! Samuel, le 12.
– Le 12, c'est *Émile* de Rousseau. Sa description de l'état d'homme.
– Exact.
– Attendez, m'sieur, François se tape 20 sur 20 avec les deux lignes de Woody et moi, je dois réciter la moitié de l'*Émile* ?
– C'est l'affreuse loterie de la vie.
– Bon.

Vous vous fiez à l'ordre actuel de la société sans songer que cet ordre est sujet à des révolutions inévitables, et qu'il vous est impossible de prévoir ni de prévenir celle qui regarde vos enfants. Le grand devient petit, le riche devient pauvre, le monarque devient sujet ; les coups du sort sont-ils si rares que vous puissiez compter d'en être exempts ? Nous approchons de l'état de crise et du siècle des révolutions. Qui peut vous répondre de ce que vous deviendrez alors ? Tout ce qu'ont fait les hommes, les hommes peuvent le détruire ; il n'y a de caractères ineffaçables que ceux qu'imprime la nature, et la nature ne fait ni princes, ni riches, ni grands seigneurs. Que fera donc, dans la bassesse, ce satrape que vous n'aurez élevé que pour la grandeur ? Que fera dans la pauvreté ce publicain qui ne sait vivre que d'or ? Que fera, dépourvu de tout, ce fastueux imbécile qui ne sait point user de lui-même, et ne met son être que dans ce qui est étranger à lui ? Heureux qui sait alors quitter l'état qui le quitte, et rester homme en dépit du sort ! Qu'on loue tant qu'on voudra ce roi vaincu qui veut s'enterrer en furieux sous les débris de son trône ; moi je le méprise ; je vois qu'il n'existe que par sa couronne, et qu'il n'est rien du tout s'il n'est roi ; mais celui qui la perd et s'en passe est alors au-dessus d'elle. Du rang de roi qu'un lâche, un méchant, un fou peut remplir comme un autre, il monte à l'état d'homme, que si peu d'hommes savent remplir...

– Qui dit mieux ?

Je ne les abandonnais pas dans ces textes. J'y plongeais avec eux. Il nous arrivait d'apprendre les plus complexes ensemble, pendant le cours lui-même, au fil de leur analyse. Je me faisais l'effet d'un maître nageur. Les plus faibles avançaient en peinant, la tête hors de l'eau, segment par segment, accrochés à la planche de mes explications, puis ils nageaient seuls, quelques propositions d'abord, jusqu'à s'offrir bientôt une longueur de paragraphe, sans lire, de tête. Dès qu'ils avaient compris ce qu'ils lisaient ils découvraient leurs capacités mnémoniques, et souvent, avant la fin du cours, un bon nombre récitait le texte entier, s'offrait une longueur de bassin sans l'aide du maître nageur. Ils commençaient à jouir de leur mémoire. Ils ne s'y attendaient pas du tout. On eût dit la découverte d'une fonction nouvelle, comme s'il leur était poussé des nageoires. Tout surpris de si vite se souvenir, ils répétaient le texte une deuxième fois, une troisième, sans accroc. C'est que, l'inhibition levée, ils comprenaient ce dont ils se souvenaient. Ils ne se contentaient pas de réciter une suite de mots, ce n'était plus seulement dans leur mémoire qu'ils s'ébrouaient, c'était dans l'intelligence de la langue, la langue d'un autre, la pensée d'un autre. Ils ne récitaient pas *Émile*, ils restituaient le raisonnement de Rousseau. Fierté. Ce n'est pas qu'on se prenne pour Rousseau dans ces moments-là, mais tout de même, c'est la divination imprécatoire de Jean-Jacques qui s'exprime par votre bouche !

15

Parfois, ils jouaient. Ils s'entraînaient ensemble, ils faisaient des concours de vitesse ou récitaient leur texte sur un ton étranger à sa nature : la fureur, la surprise, la peur, le bégaiement, l'éloquence politique, la passion amoureuse ; à l'occasion l'un ou l'autre imitait le président du moment, un ministre, un chanteur, un présentateur de journal télévisé... Ils se livraient à des jeux dangereux aussi, de périlleux exercices d'agilité mentale ; ils se lançaient des défis acrobatiques qu'une classe de seconde me révéla un soir, pendant un dîner de fin d'année. (Ils avaient gardé la chose secrète, pour épater le prof.) Entre la poire et le fromage, une Caroline pointa son doigt vers un Sébastien :

– Défi : je veux le premier paragraphe du 3, la deuxième strophe du 11, la quatrième du 6 et la dernière phrase du 15.

Le Sébastien défié assembla mentalement le patchwork qu'il récita presque sans hésitation comme un texte unique et biscornu. Puis, il lança son propre défi :

166

– À ton tour, envoie-nous *Le pont Mirabeau.*
Il précisa :
– À l'envers.
– Facile.

Et voilà qu'à mes oreilles stupéfaites, sous le pont Mirabeau la Seine se mit à remonter son cours, du dernier vers au premier, jusqu'à disparaître sous le plateau de Langres. Satisfaite, Caroline lâcha le nom de l'auteur : Erianillopa !

– Et ça, monsieur, vous savez le faire ?

Un inspecteur d'académie n'aurait peut-être pas aimé voir la Seine retourner à sa source ou le tambour d'une machine à laver mélanger tous les textes de l'année, ou mes sixièmes décorer notre classe avec des banderoles où pendaient leurs fautes d'orthographe les plus spectaculaires comme des dépouilles de vaincus. On aurait pu aussi me reprocher de laisser mes plus grands élèves confier leurs copies à la correction assassine des plus petits ! Ne serait-ce pas flatter les uns pour humilier les autres ? On ne plaisante pas avec ces choses-là, tout de même ! Il m'aurait fallu plaider : pas de panique, monsieur l'inspecteur, il faut savoir jouer avec le savoir. Le jeu est la respiration de l'effort, l'autre battement du cœur, il ne nuit pas au sérieux de l'apprentissage, il en est le contrepoint. Et puis jouer avec la matière c'est encore nous entraîner à la maîtriser. Ne traitez pas d'enfant le boxeur qui saute à la corde, c'est imprudent.

En mélangeant leurs textes, mes secondes ne manquaient pas de respect à dame Littérature, ils exaltaient la maîtrise de leur mémoire ! Ils ne rabaissaient pas un savoir, ils s'admiraient dans l'innocence d'un savoir-faire ! Ils exprimaient leur fierté en jouant, sans se hausser du col. Et puis ils taquinaient Rousseau, ils consolaient Apollinaire, ils amusaient Corneille – qui avait le goût de la blague lui aussi, et qui doit trouver son éternité un peu longue. Et surtout, ils installaient entre eux un climat de confiance ludique qui fortifiait l'esprit de sérieux de chacun. Ils en avaient fini avec la peur. C'était leur façon de le dire, de s'écrier : Enfin !

Parfois d'ailleurs je jouais avec eux.

Il nous arrivait de considérer la bêtise avec le plus grand intérêt, d'étudier les effets de sa cohabitation avec l'intelligence la plus rare. Émerveillés mais épuisés par notre ascension du *Neveu de Rameau*, nous nous accordions, par exemple, une pose carambar. Un carambar par élève (j'avais un budget à cet effet). Celui qui tombait sur l'histoire la plus stupide proposée par ces friandises, la blague la plus insultante au sommet d'intelligence où nous bivouaquions, celui-là gagnait un second carambar et nous reprenions notre ascension, le pied léger, plus honorés encore de fréquenter Diderot. Nous savions que si l'intelligence du texte est une rude et solitaire conquête de l'esprit, la blague stupide établit, elle, une connivence reposante qui ne se partage qu'entre amis de confiance. C'est avec nos intimes que nous échangeons les histoires les plus bêtes, façon de rendre un hommage implicite à la finesse de leur esprit. Avec les autres, on fait les malins, on déballe son savoir, on en installe, on séduit.

16

Qui étaient-ils, mes élèves ? Pour un certain
nombre d'entre eux le genre d'élève que j'avais été à
leur âge et qu'on trouve un peu partout dans les
boîtes où échouent les garçons et les filles éliminés
par les lycées honorables. Beaucoup redoublaient et
se tenaient en piètre estime. D'autres se sentaient
simplement à côté, hors du « système ». Certains
avaient perdu jusqu'au vertige le sens de l'effort, de
la durée, de la contrainte, bref du travail ; ils laissaient tout bonnement aller la vie, s'adonnant, à
partir des années quatre-vingt, à une consommation
effrénée, *ne sachant point user d'eux-mêmes et ne
mettant leur être que dans ce qui était étranger à eux*
(la réflexion de Rousseau, transposée au plan matériel, ne les avait pas laissés indifférents).

Et tous des cas particuliers, bien sûr. Celui-ci,
excellent élève en son lycée de province, s'était
retrouvé bon dernier à bord du paquebot en par-
tance pour les grandes écoles où son dossier l'avait
fait admettre ; il en avait conçu un tel chagrin que
ses cheveux tombaient par plaques : dépression ner-

veuse, à quinze ans ! Celle-ci, un peu suicidaire, se tailladait les veines (« Pourquoi as-tu fait ça ? – Pour voir ! »), celle-là flirtait alternativement avec l'anorexie et la boulimie, cet autre fuguait, cet autre encore, venu d'Afrique, était traumatisé par une révolution sanglante, celui-ci était le fils d'une concierge infatigable, celui-là le garçon lymphatique d'un diplomate absent, certains étaient anéantis par les problèmes familiaux, d'autres en jouaient sans vergogne, cette veuve gothique aux orbites noires et aux lèvres violettes avait juré ne s'étonner de rien, quand ce blouson clouté, banane et santiags, évadé d'un lycée technique de Cachan pour reprendre chez nous un cycle long, découvrait avec émerveillement la gratuité de la culture. Ils étaient des garçons et des filles de leur génération, loubards des années soixante-dix, punks ou gothiques des années quatre-vingt, néo-babas des années quatre-vingt-dix ; ils attrapaient des modes comme on chope des microbes : modes vestimentaires, musicales, alimentaires, ludiques, électroniques, ils consommaient.

Les élèves de mes débuts, ceux des années soixante-dix, remplissaient pour la moitié d'entre eux les classes dites « aménagées » d'un collège de Soissons, classes dont on nous avait précisé avec un humour très professionnel qu'elles n'étaient pas « à ménager » en deux mots. Quelques-uns étaient sous surveillance judiciaire. Les autres étaient des fils de métayers portugais, de commerçants locaux ou de ces grands propriétaires terriens dont les champs couvraient les immenses plaines de l'Est, grasses de tous les jeunes gens immolés au suicide européen de 14-18. Nos loubards partageaient les mêmes locaux que ces élèves « normaux », la même cantine, les mêmes jeux, et cet heureux mélange était à mettre au crédit de la direction. L'illettrisme tardif ne datant pas d'aujourd'hui, c'est à ces garçons et ces filles « aménagés » que je devais, en quatrième ou en troisième, réapprendre la lecture et l'orthographe ; c'est avec eux que nous interrogions ce *y* où l'on n'arrive jamais parce qu'on ignore qu'il n'est qu'un être là, un être maintenant, un être ensemble et, ce faisant, un être soi.

Leur professeur de mathématiques et moi leur avions appris à jouer aux échecs, aussi. Ma foi, ils ne s'en sortaient pas si mal. Nous avions fabriqué un grand échiquier mural qu'ils m'offrirent à mon départ (« On en fera un autre »), et que je conserve pieusement. Leurs prouesses à ce jeu réputé difficile – c'était l'époque du fameux championnat Spassky-Fischer –, la confiance qu'ils y avaient acquise en battant certaines classes du lycée voisin (« On a battu les latinistes, m'sieur ! ») ne furent certainement pas pour rien dans leurs progrès en math, cette année-là, ni dans leur réussite au BEPC. À la fin de l'année nous avions monté *Ubu roi*, toutes classes confondues. Un *Ubu* mis en scène par mon amie Fanchon, professeur à Marseille aujourd'hui, une sorte d'oncle Jules elle aussi, inoxydable dans sa lutte contre toutes les ignorances. Accessoirement, Père et Mère Ubu avaient fait scandale dans leur grand lit, sous les yeux de l'évêque local. (Vertical, le lit, pour qu'on pût admirer le couple royal jusqu'au fond de la salle de gym où la pièce se donnait.)

De 1969 à 1995, si l'on excepte deux années passées dans un établissement aux effectifs triés sur le volet, la plupart de mes élèves auront donc été, comme je le fus moi-même, des enfants et des adolescents en plus ou moins grande difficulté scolaire. Les plus atteints présentaient à peu près les mêmes symptômes que moi à leur âge : perte de confiance en soi, renoncement à tout effort, incapacité à la concentration, dissipation, mythomanie, constitution de bandes chez mes loubards, alcool parfois, drogues aussi, prétendument douces, l'œil plutôt liquide, tout de même, certains matins...

Ils étaient *mes* élèves. (Ce possessif ne marque aucune propriété, il désigne un intervalle de temps, nos années d'enseignement, où notre responsabilité de professeur se trouve entièrement engagée vis-à-vis de ces élèves-là.) Une partie de mon métier consistait à persuader *mes* élèves les plus abandonnés par eux-mêmes que la courtoisie mieux que la baffe prédispose à la réflexion, que la vie en communauté engage, que le jour et l'heure de la remise d'un devoir ne sont pas négociables, qu'un devoir bâclé est à refaire pour le lendemain, que ceci, que cela, mais que jamais, au grand jamais, ni mes collègues ni moi ne les abandonnerions au milieu du gué. Pour qu'ils aient une chance d'*y* arriver, il fallait leur réapprendre la notion même d'effort, par conséquent leur redonner le goût de la solitude et du silence, et surtout la maîtrise du temps, donc de l'ennui. Il m'est

arrivé de leur conseiller des exercices d'ennui, oui,
pour les installer dans la durée. Je les priais de ne
rien faire : ne pas se distraire, ne rien consommer,
pas même de la conversation, ne pas travailler non
plus, bref, ne rien faire, rien de rien.

– Exercice d'ennui, ce soir, vingt minutes à ne rien
faire avant de vous mettre au boulot.

– Même pas écouter de la musique ?

– Surtout pas !

– Vingt minutes ?

– Vingt minutes. Montre en main. De 17 h 20 à
17 h 40. Vous rentrez directement chez vous, vous
n'adressez la parole à personne, vous ne vous arrêtez
dans aucun café, vous ignorez l'existence des flip-
pers, vous ne reconnaissez pas vos copains, vous
entrez dans votre chambre, vous vous asseyez sur le
coin de votre lit, vous n'ouvrez pas votre cartable,
vous ne chaussez pas votre walkman, vous ne
regardez pas votre gameboy, et vous attendez vingt
minutes, l'œil dans le vide.

– Pour quoi faire ?

– Par curiosité. Concentrez-vous sur les minutes
qui passent, n'en ratez aucune et racontez-moi ça
demain.

– Comment pourrez-vous vérifier qu'on l'a fait ?

– Je ne pourrai pas.

– Et après les vingt minutes ?

– Vous vous jetez sur votre boulot comme des
affamés.

17

Si je devais caractériser ces cours, je dirais que mes présumés cancres et moi y luttions contre la pensée magique, celle qui, comme dans les contes de fées, nous fait prisonniers d'un présent perpétuel. En finir avec le zéro en orthographe, par exemple, c'est échapper à la pensée magique. On rompt un sort. On sort du rond. On se réveille. On pose un pied dans le réel. On occupe le présent de l'indicatif. On commence à comprendre. Il faut bien qu'un jour arrive où l'on se réveille ! Un jour, une heure ! Personne n'a croqué pour jamais la pomme de la nullité ! Nous ne sommes pas dans un conte, victimes d'un charme !

C'est peut-être cela, enseigner : en finir avec la pensée magique, faire en sorte que chaque cours sonne l'heure du réveil.

Oh ! je vois bien ce que ce genre de proclamation peut avoir d'exaspérant pour tous les professeurs qui se coltinent les classes les plus pénibles des banlieues d'aujourd'hui. La légèreté de ces formules au regard des pesanteurs sociologiques, politiques, économiques, familiales et culturelles, c'est vrai... Reste que la pensée magique joue un rôle non négligeable dans l'acharnement que met le cancre à rester tapi au fond de sa nullité. Et cela, depuis toujours et dans tous les milieux.

La pensée magique... Un jour, je demande à mes premières de faire le portrait du professeur qui donne les sujets du bac. C'est un devoir écrit : Faites le portrait du professeur qui donne les sujets du baccalauréat de français. Ils n'étaient plus des enfants, ils avaient le temps de réfléchir, une semaine pour me rendre leur copie ; ils pouvaient se dire qu'un seul professeur ne suffisait pas à préparer tous les sujets de français, de toutes les sections, pour toutes les académies, que la chose se faisait probablement en groupe, qu'on se répartissait la tâche, qu'une commission décidait du contenu des sujets en fonction des différents programmes, ce genre de supputations... Rien du tout : ils me tracèrent tous, sans exception, le portrait d'un vieux sage, barbu, solitaire et omniscient, qui, du haut de l'olympe du savoir, lâchait sur la France des sujets de bac comme autant d'énigmes divines. J'avais imaginé ce sujet pour me représenter l'image qu'ils se faisaient de l'Instance, et par là éclairer la nature de leur inhibition. Objectif atteint. Nous nous sommes aussitôt procuré les annales du bac, nous y avons recensé tous les sujets de dissertation des dernières années, les avons disséqués, avons étudié leur composition, avons découvert qu'on n'y proposait pas plus de quatre ou cinq thèmes de réflexion, eux-mêmes présentés en deux ou trois types de formulation seulement. (Guère plus complexe, en somme, que des variantes autour de la recette du canard à l'orange : pas de canard, prenez une poule, pas d'orange, prenez des navets. Si ni poule ni canard, prenez un bœuf et des carottes. La sauce restait la même : Vous étaierez vos raisonnements de citations tirées de votre culture personnelle.) Forts qu'ils étaient de cette analyse structurelle, ils eurent mission, pour le devoir suivant, de composer eux-mêmes un sujet de dissertation.

– Ce sera noté, monsieur ?

(Combien de fois aurai-je entendu cette question !)

– Mais oui. Tout travail mérite salaire.

Formidable ! Un simple sujet noté comme une dissertation entière, l'aubaine ! On se frottait les mains. On prévoyait un week-end allégé. Mais que je ne m'inquiète pas, on ne ferait pas ce travail par-dessus la jambe, on me promettait d'y réfléchir sérieusement, un sujet en bonne et due forme, thème, structure et tout et tout, juré craché, m'sieur ! (Tout compte fait, prendre la place de Dieu le Père les tentait assez.)

Ils ne s'en tirèrent pas si mal. Ils avaient rédigé leurs sujets de dissertation en fonction de ce qu'ils savaient de leur programme et des quelques idées qui traînaient dans l'air du temps. J'aurais pu les faire embaucher par le Ministère. L'un d'eux, ou plutôt l'une d'elles, c'était une fille, fit observer que la formulation de ces sujets officiels n'était elle-même pas exempte de pensée magique :

– « Vous étaierez vos raisonnements de citations tirées de votre culture personnelle. » Quelles citations, le jour du bac, monsieur ? D'où les sortirait le candidat ? De sa tête ? Tout le monde n'apprend pas de textes comme nous ! Et quelle culture personnelle ? Ils veulent qu'on leur parle de nos chanteurs préférés ? De nos bandes dessinées ? Un peu *magique*, cette formule, non ?

– Pas magique, idéale.

La semaine suivante, il ne leur resta qu'à traiter le sujet qu'ils s'étaient posé à eux-mêmes. Je ne prétends pas qu'ils frôlèrent l'excellence, mais le cœur y fut ; je récoltai des dissertations qui devaient beaucoup moins à la pensée magique, et eux des notes qui devaient beaucoup plus à la compréhension des impératifs du baccalauréat.

18

– Ce sera noté, m'sieur ?

Il y avait la question des notes, bien sûr.

Question capitale, la notation, si on veut s'attaquer à la pensée magique et, ce faisant, lutter contre l'absurde.

Quelle que soit la matière qu'il enseigne, un professeur découvre très vite qu'à chaque question posée, l'élève interrogé dispose de trois réponses possibles : la juste, la fausse et l'absurde. J'ai moi-même passablement abusé de l'absurde pendant ma scolarité « La fraction, faut la réduire au dénominateur commun ! » ou, plus tard : « *Sinus a* sur *sinus b*, je simplifie par *sinus*, reste *a* sur *b* ! » Un des malentendus de ma scolarité tient sans doute à ce que mes professeurs notaient comme étant fausses mes réponses absurdes. Je pouvais répondre absolument n'importe quoi, une seule chose m'était garantie : j'obtiendrais une note ! Zéro, généralement. J'avais compris cela très tôt. Et que c'était la meilleure façon d'avoir la paix, ce zéro. Au moins provisoirement.

Or, la condition sine qua non pour libérer le

cancre de la pensée magique, c'est le refus catégorique de noter sa réponse si elle est absurde.

Pendant nos premières séances de correction grammaticale, ceux de mes « aménagés » qui se prétendaient abonnés au zéro n'étaient pas avares en réponses absurdes.

En quatrième, par exemple, l'ami Sami.

– Sami, quel est le premier verbe conjugué de la phrase ?

– *Vraiment*, m'sieur, c'est *vraiment*.

– Qu'est-ce qui te fait dire que *vraiment* est un verbe ?

– Ça se termine par *ent* !

– Et à l'infinitif, ça donne quoi ?

– ... ?

– Allez, vas-y ! Qu'est-ce que ça donne ? Un verbe du premier groupe ? Le verbe *vraimer* ? *Je vraime, tu vraimes, il vraime* ?

– ...

La réponse absurde se distingue de la fausse en ce qu'elle ne procède d'aucune tentative de raisonnement. Souvent automatique, elle se limite à un acte réflexe. L'élève ne fait pas une erreur, il répond n'importe quoi à partir d'un indice quelconque (ici, la terminaison *ent*). Ce n'est pas à la question posée qu'il répond, mais au fait qu'on la lui pose. On attend de lui une réponse ? Il la donne. Juste, fausse, absurde, peu importe. D'ailleurs, au tout début de sa vie scolaire il pensait que la règle du jeu consistait à répondre pour répondre, il jaillissait de sa chaise doigt tendu, tout vibrant d'impatience : « Moi, moi, maîtresse, je sais ! je sais ! » (j'existe ! j'existe !), et répondait n'importe quoi. Mais, très vite, nous nous adaptons. Nous savons que le professeur attend de nous une réponse juste. Il se trouve que nous n'en avons pas en magasin. Pas même de fausse. Aucune idée de ce qu'il nous faut répondre. Tout juste si nous avons compris la question qu'il nous pose. Puis-je avouer cela à mon prof ? Ai-je le choix du silence ? Non. Autant répondre n'importe quoi. Avec ingénuité, si possible. Je suis tombé à côté, monsieur ? Croyez que je le regrette. J'ai tenté le coup, c'est raté, voilà tout, mettez-moi zéro et restons bons amis. La réponse absurde constitue l'aveu diplomatique d'une ignorance qui, malgré tout, cherche à maintenir un lien. Bien sûr, elle peut aussi exprimer un acte de rébellion caractérisé : il me casse les pieds, ce prof, à me pousser dans mes retranchements. Est-ce que je lui en pose, des questions, moi ?

Dans tous les cas de figure, noter cette réponse – en corrigeant une interrogation écrite par exemple –, c'est accepter de noter n'importe quoi, et par conséquent commettre soi-même un acte pédagogiquement absurde. Ici, élève et professeur manifestent plus ou moins consciemment le même désir : l'élimination symbolique de l'autre. En répondant n'importe quoi à la question que me pose mon professeur, je cesse de le considérer comme professeur, il devient un adulte que je courtise ou que j'élimine par l'absurde. En acceptant de tenir pour fausses les réponses absurdes de mon élève, je cesse de le considérer comme un élève, il devient un sujet hors sujet que je relègue aux limbes du zéro perpétuel. Mais ce faisant, je m'annule moi-même comme professeur ; ma fonction pédagogique cesse auprès de cette fille ou de ce garçon qui, à mes yeux, refusent de jouer leur rôle d'élève. Quand j'aurai à remplir leur carnet scolaire, je pourrai toujours arguer de leur manque de bases. Un élève qui prend l'adverbe « vraiment » pour un verbe du premier groupe ne manque-t-il pas singulièrement de bases ? Certainement. Mais un professeur qui fait semblant de tenir pour fausse une réponse si manifestement absurde ne ferait-il pas mieux de s'adonner lui aussi à un jeu de hasard ? Du moins n'aurait-il que son argent à y perdre, il n'y jouerait pas la scolarité de ses élèves.

Parce que le cancre, lui, les limbes du zéro, ça lui va (croit-il.) C'est une forteresse dont personne ne viendra le déloger. Il la renforce en accumulant les absurdités, il la décore d'explications variables selon son âge, son humeur, son milieu et son tempéra-ment : « Je suis trop bête », « J'y arriverai jamais », « Le prof ne peut pas me sentir », « J'ai la haine », « Ils me prennent la tête », etc. ; il déplace la ques-tion de l'instruction sur le terrain vague de la rela-tion personnelle où tout devient affaire de suscepti-bilité. Ce que fait aussi le professeur, persuadé que cet élève-là le fait exprès. Car ce qui empêche le pro-fesseur de tenir la réponse absurde pour un effet dévastateur de la pensée magique, c'est très souvent le sentiment que l'élève se paie sciemment sa tête.

Dès lors le maître s'enferme dans son y à lui : « Avec celui-là, je n'y arriverai jamais. »

Aucun professeur n'est exempt de ce genre d'échec. J'en garde de profondes cicatrices. Ce sont mes fantômes familiers, les visages flottants de ces élèves que je n'ai pas su extraire de leur *y*, et qui m'ont enfermé dans le mien :

– Cette fois, je n'y peux vraiment rien.

19

– Ah, enfin !

– Quoi, enfin ?

Je connais cette voix. Elle rôde en moi depuis les premières lignes de ce livre. Elle guette, en embuscade. Elle attend la faille. C'est le cancre que je fus. Toujours vigilant. Plus enclin que mon moi d'aujourd'hui à porter un regard critique sur mon activité de professeur. Jamais pu m'en dépêtrer. Nous avons vieilli ensemble.

– Enfin quoi ?

– Enfin on arrive à ton *y* à toi ! Ton *y* de professeur. Ta zone d'incompétence. Parce qu'à te lire jusqu'à présent, tu m'avais tout l'air du prof irréprochable, dis donc ! Et que je te sauve tous les dysorthographiques de la création, et que je te remplis tout un chacun de littérature inoubliable, et que je te rends méthodiques les esprits les plus confus ! Jamais d'échecs, alors ?

– ...

– Un gosse sur qui *ça ne prend pas*, ça ne t'est jamais arrivé ?

Petit nul revanchard qui remonte de mes abysses pour réveiller mes fantômes ! Et ça marche. Trois visages apparaissent aussitôt. Trois visages de fond de classe, en terminale. Ils ont quelques dizaines de points à rattraper au bac de français mais restent parfaitement étanches à ce que je leur dis de Camus, dont ils doivent présenter *L'Étranger*. Présents à tous les cours mais totalement ailleurs. Trois *étrangers* ponctuels, à qui je n'ai jamais pu arracher le moindre signe d'intérêt et dont le silence m'a acculé au cours magistral. Mes trois Meursault... Ils étaient devenus une espèce d'obsession. Le reste de la classe ne suffisait pas à me les ôter des yeux.

— C'est tout ?

— ...

— C'est tout ? Il n'y a que ces trois-là ?

Non, il y a Michel, en seconde, dix-sept ans et des poussières, renvoyé d'un peu partout, pris chez nous sur ma recommandation, qui flanque en un temps record une pagaille monstre dans l'établissement et finit par exploser sous mes yeux (« Mais je vous ai rien demandé, putain de merde ! »), avant de disparaître dans je ne sais quelle vie.

— Tu en veux d'autres ? Une bande de petits voleurs qui se faisaient les grands magasins malgré mes leçons de morale, ça te va ?

— Mettons que ça va mieux en le disant.

— Va te faire voir ; je le connais trop bien, ton plaisir de nullard à faire la leçon au monde entier ! Si je t'avais écouté je n'aurais enseigné à personne, je

184

me serais levé un matin très tôt pour aller me promener sur le baou de La Gaude.

Ricanement :

– Résultat, je suis toujours là, avec toi. Le cancre marche en biais et s'accroche, question d'étymologie...

Fin de notre conversation. Jusqu'à la prochaine. Il s'éclipse dans mes profondeurs, me laissant tout de même le remords de quelques cours préparés à la va-vite, de quelques paquets de copies rendus en retard malgré mes résolutions...

Notre *y* de professeur... Le lieu clos de nos brusques fatigues où nous prenons la mesure de nos renoncements. Une sale prison. Nous y tournons en rond, généralement plus soucieux de chercher des coupables que de trouver des solutions.

Oui, à écouter le bourdonnement de notre ruche pédagogique, dès que nous nous décourageons, notre passion nous porte d'abord à chercher des coupables. L'Éducation nationale paraît d'ailleurs structurée pour que chacun y puisse commodément désigner le sien :

– La maternelle ne leur a donc pas appris à se tenir ? demande le professeur des écoles devant des bambins agités comme des boules de flipper.

– Qu'ont-ils fichu en primaire ? peste le professeur de collège en accueillant des sixièmes qu'il estime illettrés.

– Quelqu'un peut me dire ce qu'ils ont appris jusqu'en troisième ? s'exclame le professeur de lycée devant la propension de ses secondes à s'exprimer sans vocabulaire.

– Ils viennent vraiment du lycée ? s'interroge le prof de fac en épluchant son premier paquet de copies.

– Expliquez-moi ce qu'on fout à l'université ? tonitrue l'industriel face à ses jeunes recrues.

– L'université forme exactement ce que souhaite votre système, répond la recrue pas si bête : des esclaves incultes et des clients aveugles ! Les grandes écoles formatent vos contremaîtres – pardon vos « cadres » –, et vos actionnaires font tourner la planche à dividendes.

– Démission de la famille, déplore le ministère de l'Éducation nationale.

– L'école n'est plus ce qu'elle était, regrette la famille.

À quoi s'ajoutent les procès internes à toute institution qui se respecte. L'éternelle querelle des anciens et des modernes, par exemple :

– Honte aux « pédagogues bêtifiants » ! hurlent les « républicains » pourfendeurs de démagogie.

– À bas les républicains élitistes ! ripostent les pédagogues au nom de l'évolution démocratique.

– Les syndicats grippent la machine ! accusent les fonctionnaires du Ministère.

– Nous restons vigilants ! rétorquent les syndicats.

– Un tel pourcentage d'illettrés en sixième, ça ne se voyait pas de mon temps ! déplore la vieille garde.

– De votre temps le collège n'accueillait que des conseils d'administration en culotte courte, persifle le taquin, c'était le bon temps, n'est-ce pas ?

– Tout le portrait de ta mère, ce gosse ! fulmine le père courroucé.

– Si tu avais été un peu plus sévère avec lui il n'en serait pas là ! répond la mère outrée.

– Comment travailler dans une telle atmosphère familiale ? se lamente l'adolescent déprimé aux oreilles du professeur compréhensif.

Jusqu'au cancre lui-même, qui, après avoir usé d'une férocité méthodique pour envoyer son professeur soigner à l'hôpital une longue dépression nerveuse, est le premier à vous expliquer benoîtement :
– Monsieur Untel manquait d'autorité.

Et si tout cela ne suffit pas, nous avons toujours la ressource de désigner en nous-mêmes celui qui porte le chapeau de notre incompétence :
– Je n'y peux rien, je suis comme ça, écrivait à sa maman le cancre que j'étais en demandant qu'on exilât au fin fond de l'Afrique le mister Hyde qui m'empêchait d'être un bon docteur Jekyll.

Faisons un rêve rafraîchissant. La professeur est jeune, directe, non formatée, elle n'est pas écrasée par le poids de la fatalité, elle est parfaitement présente et sa classe est pleine de tous les élèves, parents, collègues et employeurs de France et de Navarre, à qui se sont joints – on a ajouté des chaises – les dix derniers ministres de l'Éducation nationale.

– Vraiment, nous n'y pouvons rien ? demande la jeune professeur.

La classe ne répond pas.

– C'est bien ce que je viens d'entendre ? « On n'y peut rien ? »

Silence.

Alors, la jeune professeur tend une craie au dernier ministre en poste, et demande :

– Écris-nous ça au tableau : *On n'y peut rien.*

– Ce n'est pas moi qui l'ai dit, proteste le ministre, ce sont les fonctionnaires du Ministère ! C'est la première chose qu'ils annoncent à chaque nouvel arrivant : « De toute façon, monsieur le ministre, on n'y peut rien ! » Mais moi, avec toutes les réformes que j'ai proposées, je ne peux pas être soupçonné d'avoir dit une chose pareille ! Ce n'est tout de même pas ma faute si tant de pesanteurs empêchent mon génie réformateur de s'exprimer !

– Peu importe qui l'a dit, répond la jeune et souriante professeur, écris-nous ça au tableau : On n'y peut rien.

On y peut rien.

– Ajoute un *n'* devant le *y*. Il fait partie du problème, ce *n'*. Et pas qu'un peu !

On n'y peut rien.

– Parfait. Qu'est-ce que c'est que ce *y* d'après toi ?

– Je sais pas.

– Eh bien, mes bons amis, il faut absolument qu'on trouve ce qu'il veut dire, ce *y*, sinon, nous sommes tous foutus.

IV

TU LE FAIS EXPRÈS

Je l'ai pas fait exprès

1

Vercors, l'été dernier. Nous buvons un coup, V. et moi, à la terrasse de La Bascule, en regardant mollement le troupeau de Josette revenir des champs. V., qui a, comme moi, l'âge de la retraite, me demande ce que j'écris en ce moment. Je le lui dis.

– Ah ! le mauvais élève ! Eh bien j'en connais un rayon là-dessus, parce que j'étais pas une flèche à l'école, c'est moi qui te le dis.

Un temps.

– Je l'ai quittée dès que j'ai pu, d'ailleurs. Oh là !

Josette suit les vaches sur son vélo. Elle est flanquée de deux border collies qui trottinent en chaussettes très blanches.

– J'ai été bête, continue V., mais qu'est-ce que tu veux, à cet âge-là on n'écoute que son sang.

Un temps.

– Parce que ça a son utilité, l'école ! Si j'y étais resté, au lieu de me crever la paillasse à gagner trois sous, je serais patron aujourd'hui, je dirigerais des multinationales ! 'Soir Josette !

– ...

– Je veux dire, je les dirigerais vers le précipice. Et quand je les aurais envoyées par le fond, je partirais avec un gros chèque et les félicitations du président. Le troupeau est passé.

– Au lieu de ça...

V. réfléchit. Il semble tenté par l'autobiographie, mais il y renonce :

– Enfin, je l'ai pas fait exprès...

Il s'arrête un instant sur cette constatation.

– Sans blague. Ils croyaient que je le faisais exprès, mais non ! J'étais comme un chiot, je courais derrière ma truffe.

2

Le fait est qu'une des accusations les plus fréquentes faites par la famille et les professeurs au
mauvais élève est l'inévitable « Tu le fais exprès ! ».
Soit imputation directe (« Ne me raconte pas d'histoire, tu le fais exprès ! »), soit exaspération consécu-
tive à une énième explication (« Mais, c'est pas possible, tu le fais exprès ! »), soit information destinée
à un tiers, que le suspect aura surprise, disons, en
écoutant à la porte de ses parents (« Je te dis que ce
gosse le fait exprès ! »). Combien de fois l'ai-je moi-
même entendue, et plus tard prononcée, cette accusation, doigt tendu vers un élève ou vers ma propre
fille quand elle apprenait à lire, si elle ânonnait un
peu. Jusqu'au jour où je me suis demandé ce que je
disais là.

Tu le fais exprès.

Dans tous les cas de figure, la vedette de la phrase
est l'adverbe *exprès*. Au mépris de la grammaire il est
directement associé au pronom *tu*. Tu exprès ! Le
verbe *faire* est secondaire et le pronom *le* parfaitement incolore. L'important, ce qui sonne à l'oreille

de l'accusé, c'est bel et bien ce *tu exprès*, qui fait penser à un index tendu.

C'est toi le coupable,

le *seul* coupable,

et *volontairement* coupable, avec ça !

Tel est le message.

Le « Tu le fais exprès » des adultes fait pendant au « J'l'ai pas fait exprès » servi par les enfants une fois la bêtise commise.

Proposée avec véhémence mais sans grandes illusions, « J'l'ai pas fait exprès » entraîne presque automatiquement une des réponses suivantes :

– J'espère bien !

– Encore heureux !

– Manquerait plus que ça !

Ce dialogue réflexe ne date pas d'hier et tous les adultes du monde trouvent leur réplique spirituelle, du moins la première fois.

Dans « J' l'ai pas fait exprès », l'adverbe *exprès* perd un peu de sa puissance, le verbe *faire* n'en gagne aucune, il demeure une sorte d'auxiliaire, et le pronom *le* compte toujours pour du beurre. Ce que le fautif cherche à faire sonner à nos oreilles, ici, c'est le pronom *je* associé à la négation *pas*.

Au *tu exprès* de l'adulte répond le *je pas* de l'enfant.

Pas de verbe, pas de pronom complément, il n'y a que moi, là-dedans, ce *je*, affligé de ce *pas*, qui dit que, dans cette affaire, je ne m'appartiens pas.

– Mais bien sûr que si, tu l'as fait exprès !

– Non, je l'ai pas fait exprès !

– Tu exprès !

– Je pas !

Dialogue de sourds, besoin de botter en touche, d'ajourner le dénouement. Nous nous quittons sans solution et sans illusions, les uns persuadés de n'être pas obéis, les autres de n'être pas compris.

C'est ici que la grammaire peut encore se montrer utile.

Si nous consentions, par exemple, à nous intéresser à ce mot presque invisible abandonné sur le terrain de la dispute, ce *le* qui a tiré en douce toutes les ficelles de notre dialogue.

Allez, un petit exercice de grammaire à l'ancienne, juste pour voir, comme je le faisais avec mes « aménagés ».

– Qui peut me dire quel type de mot est ce *le*, dans « Tu le fais exprès ».

– Moi, moi ! C'est un article, m'sieur !

– Un article ? Pourquoi, un article ?

– Parce que *le*, *la*, *les*, m'sieur ! C'est un article *défini*, même !

Sur le ton de la victoire. On a montré au prof qu'on savait quelque chose... *Un*, *une*, *des*, articles indéfinis, *le*, *la*, *les*, articles définis, voilà, l'affaire est pliée.

– Ah bon ! Un article défini ? Et où diable se trouve le nom que définit cet article ?

– ...

On cherche.

Pas de nom.

Embarras.

Ce n'est pas un article.

Qu'est-ce que c'est que ce *le* ?

– ...

– ...

– C'est un pronom, m'sieur !

– Bravo. Quel genre de pronom ?

– Un pronom personnel !

– Mais encore ?

– Un pronom complément !

Bon. Très bien. C'est ça. Maintenant quittons la classe et revenons à nous, analysons ce pronom complément entre adultes. Avec prudence. Ce sont des mots dangereux, les pronoms compléments, des mines antipersonnel enfouies sous le sens apparent et qui vous sautent au visage si on ne les désamorce pas. Ce *le*, par exemple... Combien de fois nous sommes-nous demandé, en prononçant l'accusation « Tu le fais exprès », ce qu'exprimait le pronom complément *le*, en l'occurrence ? Exprès de quoi faire ? La dernière bêtise en date ? Non, le ton sur lequel nous avons lancé cette accusation (car il y a le ton, aussi !) laisse clairement entendre que le coupable le fait toujours exprès, que chaque fois il le fait exprès, que cette dernière bêtise est la confirmation de cette obstination. Alors, exprès de quoi faire ?

De ne pas m'obéir ?

De ne pas travailler ?

De ne pas te concentrer ?

De ne pas comprendre ?

De ne pas même chercher à comprendre ?

De me résister ?

De me faire enrager ?

D'exaspérer tes profs ?

De désespérer tes parents ?

De céder à tes pires faiblesses ?

De saborder ton avenir en pourrissant ton présent ?

De te moquer du monde ?

C'est ça, hein, tu te moques du monde ? Tu nous provoques ?

Tout cela, oui, si on veut, admettons.

Se pose alors la question de l'adverbe. Pourquoi *exprès* ? À quelle fin ? Pour quelle raison ferait-il cela ? Il faut bien qu'il poursuive un but, puisqu'il le fait *exprès*.

Exprès pour quoi ?

Pour jouir du moment ? Tout simplement jouir du moment ? Mais l'inévitable moment suivant, celui qu'il passe avec moi, est un très mauvais quart d'heure, lui, puisque je l'engueule ! Peut-être veut-il vivre paisiblement en l'état de paresse, indifférent aux engueulades ? Une sorte d'hédonisme ? Non, il sait très bien que le bonheur de ne rien faire se paie au prix de regards méprisants, de réprobations définitives qui engendrent le dégoût de soi. Alors ? Pourquoi le fait-il néanmoins *exprès* ?

Pour s'attirer la considération des autres cancres ? Parce que s'appliquer, ce serait trahir ? Il joue volontairement les mauvais contre les bons, les jeunes contre les vieux ? C'est sa façon à lui de se socialiser ?

Si on veut. En tout cas, c'est la thèse favorite de la modernité : la tribalisation de la nullité, la fuite de tous les mauvais élèves dans le vaste marigot où grouille la racaille. Elle a ceci de commode, cette explication, qu'elle repose sur une certaine vérité sociologique, le phénomène existe, aucun doute. Mais elle évacue la personne, toujours unique, du gamin qui, phénomène de bandes ou pas, se retrouve seul à un moment ou à un autre, seul face à ses échecs, seul face à son avenir, seul, le soir, face à lui-même avant de se coucher. Envisageons-le alors. Regardez-le bien. Qui pourrait parier un centime sur son sentiment de bien-être ? Qui pourrait le soupçonner de *le* faire *exprès* ?

Tu le fais exprès...

À vrai dire, aucune de ces explications n'est absolument satisfaisante. Toutes tiennent plus ou moins, mais...

Ici, une hypothèse :

Se pourrait-il qu'au mépris de toute règle grammaticale le pronom *le* désigne aussi un objet extérieur à la phrase ? Nous-mêmes par exemple... La dégradation de notre image à nos propres yeux. Notre image, qui a tant besoin, elle aussi, de son bon miroir.

Un *le* qui accuserait l'autre – ici le mauvais sujet – de me renvoyer l'image d'un adulte impuissant et inquiet, victime d'une incompréhensible fin de non-recevoir. Dieu sait pourtant qu'ils sont sains, les principes que je veux inculquer à cet enfant ! Et légitime le savoir que je dispense à cet élève !

À la solitude de l'enfant répond ma propre solitude d'adulte.

Tu le fais exprès.

Et quand il s'agit d'une classe entière, quand une trentaine d'élèves se mettent à le faire exprès, le professeur que je suis éprouve le net sentiment de devenir un objet de lynchage culturel. Et si ce *le* affecte toute une génération – « c'était inimaginable de mon temps ! » –, si des générations successives le font exprès, alors nous nous vivons comme les derniers représentants d'une espèce en voie de disparition, les survivants de la dernière époque où la jeunesse (nous-mêmes en ce temps-là) nous était compréhensible... Et nous nous sentons bien seuls en notre vieille vie, toujours lucides certes, vigilants et comment ! compétents ô combien ! entre nous en somme, comme lorsque nous étions jeunes, nous autres les quelques témoins des âges civilisés qui continuons de penser juste, exclus de ce qu'est devenu, malgré nous, le réel.

Exclus...

Car le sentiment d'exclusion n'affecte pas seulement les populations rejetées au-delà du énième cercle périphérique, il nous menace nous aussi, majorités de pouvoir, dès que nous cessons de comprendre une parcelle de ce qui nous entoure, dès que le parfum de l'insolite infecte l'air du temps. Quel désarroi nous éprouvons alors ! Et comme il nous pousse à désigner les coupables.

– Tu le fais exprès !

Un si petit pronom pour tant de solitude !

3

Une parenthèse à propos de ce sentiment d'exclusion des majorités inquiètes. Quand j'étais adolescent, nous étions au moins deux à le faire exprès : Pablo Picasso et moi. Le génie et le cancre. Le cancre ne faisait rien et le génie faisait n'importe quoi, mais exprès, tous les deux. C'était notre seul point commun.

Souvent, autour des tables dominicales, les adultes cassaient du sucre sur le dos de Picasso : Affreux ! Peinture pour snobs ! Le n'importe quoi érigé en art majeur...

Malgré cette levée de boucliers Picasso se répandait comme une algue : dessin, peinture, gravure, céramique, sculpture, décors de théâtre, littérature même, tout y passait.

– Il paraît qu'il travaille à toute allure !

Une de ces algues prolifiques venue d'un océan monstrueux pour polluer les golfes de l'art paisible.

– C'est une insulte à mon intelligence ! Je n'accepterai jamais qu'on se moque de moi.

Au point qu'un dimanche je pris la défense de Picasso en demandant à la dame qui venait de répéter cette accusation pour la énième fois si elle pensait *raisonnablement* que, ce matin-là, l'artiste s'était réveillé avec l'idée de torcher vite fait une petite toile dans le seul but de se moquer de madame Geneviève Pellegrue.

La vérité est que ces braves gens commençaient à souffrir d'un sentiment d'exclusion ; ils entraient en solitude. Ils prêtaient au peintre une effrayante capacité d'engloutissement. Le charlatan incarnait à lui seul un univers nouveau, un lendemain menaçant où une horde de Picasso transformeraient toutes les Pellegrue du monde en un seul et même gogo.

– Eh bien, pas moi ! Moi, il ne m'aura pas !

Geneviève Pellegrue ignorait que l'estomac, c'était elle, qu'elle allait digérer Pablo Picasso comme le reste, lentement certes mais inexorablement, au point que quarante ans plus tard ses petits-enfants rouleraient dans une des voitures familiales les plus hideuses jamais conçues, un suppositoire géant auquel les nouveaux Pellegrue donneraient le nom de l'artiste, et qui les déposerait, par un beau dimanche de prurit culturel, aux portes du musée Picasso.

4

Féroce candeur des majorités de pouvoir... Ah ! les tenants d'une norme, et quelle qu'elle soit : norme culturelle, norme familiale, norme d'entreprise, norme politique, norme religieuse, norme de clan, de club, de bande, de quartier, norme de la santé, norme du muscle ou norme de la cervelle... Comme ils se rétractent dès qu'ils flairent l'incompréhensible, les gardiens de la norme, comme ils se vivent en résistants alors, on les jurerait seuls face à un complot universel ! Cette peur d'être menacé par ce qui sort du moule... Ah, la férocité du puissant quand il joue les victimes ! Du nanti quand la pauvreté campe à sa porte ! Du couple estampillé devant la divorcée briseuse de ménage ! De l'enraciné flairant le diasporique ! Du croyant pointant le mécréant ! Du diplômé considérant l'insondable crétin ! De l'imbécile fier d'être né quelque part ! Et ça vaut pour le petit caïd de banlieue suspectant l'ennemi sur le trottoir d'en face... Comme ils deviennent dangereux, ceux qui ont compris les codes, face à ceux qui ne les possèdent pas !

Même les enfants doivent s'en méfier.

5

Je ne l'ai jamais mieux mesurée qu'un matin de solitude, la peur méchante de celui qui se sent exclu, confronté à ceux qui le sont vraiment. Ce matin-là, je ne me lève pas. Minne est quelque part dans le Sud-Ouest. Elle visite les élèves d'un lycée technique dans une zone toulousaine. Écrivain invitée. Ce matin, donc, pas de réveil amoureux sous les auspices de la caféine. Je devrais me mettre tout de suite à mon livre, mais non, je reste au lit, le regard dans le vide, tout comme jadis devant le devoir que je ne faisais pas (« Ne dérangez pas le petit, il travaille »). Finalement, j'allume la radio. Ma station favorite. C'est le jour et l'heure d'une de mes émissions préférées. Une fois la semaine, s'y croisent des intelligences patentées qui parlent sur le ton aujourd'hui si rare de gens qui n'ont rien à vendre. On y échange posément des idées à propos des essais qu'on vient d'écrire, avec des références judicieuses à ceux qu'on a lus. Exactement ce dont j'ai besoin en ce matin de paresse ; on va penser pour moi. Ne le dites à personne, je vais consommer de la pensée aussi paresseusement que si je m'envoyais le premier feuilleton venu. Délicieux. Je salive à la musique du générique et, dès la présentation, je me laisse glisser dans le toboggan des phrases, élever mollement par les volutes de l'argumentation, et je me sens bien, en terre de connaissance, rassuré par l'aménité des voix, la souplesse du phrasé, le fondé du propos, le sérieux du ton, l'acuité des analyses, l'irréprochable béchamel par quoi le meneur de jeu fait le lien entre les thèses en présence, atténue les différends éventuels, et développe copieusement sa propre pensée... J'ai toujours aimé cette émission, entre autres pour ses qualités d'élégance ; on y polit le réel au point de me le rendre lisible, sinon rassurant. Il se trouve que la causerie, ce matin-là, se met à tourner autour de la jeunesse des « quartiers ». À un moment donné, mes trois voix parlent d'un film. Je dresse l'oreille. Un film qui semble avoir traumatisé le meneur de jeu. C'est un film sur la banlieue. Non, c'est un film sur une pièce de Marivaux. Non, c'est un film sur un projet pédagogique. Oui, voilà, c'est un film sur des lycéens de banlieue montant une pièce de Marivaux sous la direction de leur professeur de français. Cela s'appelle *L'esquive*. Ce n'est pas un documentaire. C'est un film scénarisé comme un documentaire. Il ne dit pas le réel, il tente d'en donner la représentation la plus fidèle possible. J'écoute d'autant plus attentivement que j'ai vu le film en question. Je n'étais pas chaud, pourtant : un film sur l'école, encore, et qui se passe en banlieue, une fois de plus... Je l'ai vu, néanmoins, sans doute poussé par une curiosité atavique. (Les mânes de l'oncle Jules : « Va voir *L'esquive*, neveu, ne discute pas ! ») Et ce fut un bon moment : une professeur guide ses élèves, par la voie du théâtre, sur le chemin des plus belles lettres. La classe monte *Le jeu de l'amour et du hasard* de Marivaux. On y voit des gosses consacrer à cet exercice une énergie et une concentration que n'épuisent ni leurs histoires d'amour, ni leurs problèmes de famille ou de quartier, ni leurs rivalités adolescentes, ni leurs petits trafics, ni leurs difficultés de langage, ni même la réputation du théâtre, cette activité de « bouffon ». Je suis sorti de ce cinéma conforté dans la certitude que je retire de la plupart de mes déplacements dans les lycées de banlieue : l'oncle Jules n'est pas mort ! Il existe encore aujourd'hui des oncles Jules et des tantes Julie qui, malgré l'extraordinaire difficulté de ces sauvetages, vont chercher les enfants où qu'ils se trouvent pour les élever à hauteur d'eux-mêmes par les sentiers de la langue française, celle du xviiie, en l'occurrence.

Ce n'est pas du tout le sentiment de mon meneur de jeu. Aucunement rassuré, lui. Pas le moindre enthousiasme. Il est sorti de son cinéma horrifié par le langage de ces jeunes gens dès qu'ils cessent de fréquenter Marivaux. Mon Dieu, ce ton ! ces hurlements permanents ! cette violence ! cette pauvreté de vocabulaire ! ces éructations ! la grossièreté sexuelle de ces injures ! Ah, comme la langue française a souffert en lui pendant ce film ! comme il a eu mal à son français ! comme il l'a senti menacé dans ses fondements mêmes ! que dis-je menacé, condamné !

irrémédiablement condamné par cette haine langagière ! Qu'allait devenir la langue française ? Qu'allait-elle devenir, face à ces hordes de cancres hurleurs ?

Je n'ai malheureusement pas enregistré ce morceau de... bravoure... mais l'essentiel y est ; ce n'était plus un homme qui parlait de ces adolescents, c'était la peur dans cet homme. Ses interlocuteurs semblaient d'ailleurs un peu surpris. L'auditeur devinait à demi-mots les demi-gestes qu'on tentait pour le rassurer, mais en vain ; la peur était la plus forte.

Pour un peu mes cheveux se seraient dressés sur ma tête et j'aurais fini par me dire, tout seul dans mon grand lit : Tu es fou d'avoir laissé ta femme partir chez ces sauvages, ils vont te la manger toute crue ! Au lieu de quoi, j'ai eu envie de prendre le meneur de jeu dans mes bras et de le rassurer. Là, là, calme-toi, tu sais le pauvre parle fort, c'est une de ses caractéristiques, un invariant historique et géographique, il parle fort depuis toujours et dans le monde entier, il parle d'autant plus fort qu'il est entouré de pauvres, le pauvre, et qui parlent fort eux aussi, pour se faire entendre, comprends-tu ? Le pauvre a la cloison mince. Et il jure beaucoup, c'est vrai, mais sans penser à mal, rassure-toi, et plus la pauvreté descend vers le sud plus le pauvre jure sexuel, voire religieux, voire les deux ensemble, mais naturellement pour ainsi dire, parce qu'il ne t'a pas rencontré sur sa route pour lui faire observer que c'est mal, tiens, rien que dans mon enfance, « Pute vierge ! » disaient les pauvres de mon village, ils n'arrêtaient pas de dire « Pute vierge ! », « *porca madona* », des pauvres venus du grand Sud italien, et pourtant ils n'en voulaient ni à la putain du samedi soir ni à la Vierge Marie du dimanche matin, c'était façon de parler, quand ils se donnaient un coup de marteau sur les doigts, voilà tout ! Un coup de marteau sur l'index, et hop, un petit oxymore : « Pute vierge ! »... Savais-tu que les pauvres pratiquent l'oxymoron ? Eh bien si ! C'est un point commun entre nous, dis donc ! Nous le stylo, eux le marteau, mais nous ensemble l'oxymoron ! Encourageant, non ? Toi qui crains tant que la déferlante de leur sabir ne balaie toutes les subtilités de notre langue, ça devrait te rassurer ! Ah ! je voulais te dire aussi, n'aie pas peur de leur sabir. Le sabir du pauvre d'aujourd'hui, c'est l'argot du pauvre d'hier, ni plus ni moins ! Depuis toujours le pauvre parle argot. Sais-tu pourquoi ? Pour faire croire au riche qu'il a quelque chose à lui cacher ! Il n'a rien à cacher, bien sûr, il est beaucoup trop pauvre, rien que des petits trafics par-ci par-là, des broutilles, mais il tient à faire croire que c'est un monde entier qu'il cache, un univers qui nous serait interdit, et si vaste qu'il aurait besoin de toute une langue pour l'exprimer. Mais il n'y a pas de monde, bien sûr, et pas de langue. Rien qu'un petit lexique de connivence, histoire de se tenir chaud, de camoufler le désespoir. Ce n'est pas une langue, l'argot, juste du vocabulaire, parce que leur grammaire, aux pauvres, c'est la nôtre, réduite au minimum certes, sujet, verbe, complément, mais la nôtre, la tienne, rassure-toi, ta grammaire française à toi, notre grammaire à tous, les pauvres ont besoin de notre grammaire pour se comprendre entre eux. Reste leur vocabulaire, bien sûr, à ces jeunes gens du énième cercle, un vocabulaire que tu estimes d'une pauvreté insigne (et considéré de ton altitude ce n'est pas douteux), mais là encore rassure-toi, il est si pauvre, ce lexique du pauvre, que la plupart des mots sont très vite emportés par le vent de l'histoire, brindilles, brindilles, trop peu de pensée pour les lester... Presque aucun ne se pose dans les pages du dictionnaire : « meuf », « keuf », « teuf », par exemple, pour ces jeunes gens d'aujourd'hui, c'est tout ce que j'ai trouvé, j'ai cherché mollement, il faut dire, un petit quart d'heure, mais je n'ai trouvé que « meuf », « keuf », « teuf », dans le dictionnaire, c'est tout, pas grand-chose tu vois, trois petits noms très communs, et qui disparaîtront une fois tournée la page de l'époque ; les dictionnaires ne garantissent qu'un brin d'éternité...

Un dernier mot pour te rassurer pleinement : va à la poste, ouvre la porte de ta mairie, prends le métro, entre dans un musée ou dans un bureau de la Sécurité sociale, et tu verras, tu verras, ce seront la mère, le père, le frère ou la sœur aînés de ces jeunes gens au langage déplorable qui t'accueilleront, assis derrière le guichet. Ou fais comme moi, tombe malade, réveille-toi à l'hôpital, et tu reconnaîtras l'accent du jeune infirmier qui poussera ton chariot vers le bloc opératoire :

– Pas d' panique, mon frère, ils vont t' refaire à neuf !

6

Le comble étant que, dans les classes de banlieue où les professeurs m'invitent, une des toutes premières questions que me posent les élèves regarde la crudité de mon langage. Pourquoi tant de gros mots dans mes romans ? (Eh oui, mon ami, tes adolescents si terrifiants manifestent la même préoccupation que toi : pourquoi tant de violence langagière ?) Certes, ils me posent cette question pour complaire à leur professeur, un peu, pour chercher à m'embarrasser moi-même, parfois, mais aussi parce que le mot, à leurs yeux, ne devient vraiment gros que lorsqu'il est écrit. On s'en « branle » à l'oral, on s'en « bat les couilles » à longueur de récré, on « nique ta mère » à tire-larigot, mais trouver le mot « couille » ou les verbes « branler » et « niquer » noir sur blanc, dans un livre, quand leur place ordinaire est sur les murs des toilettes, alors ça... !

C'est d'ailleurs à ce stade de nos échanges que, le plus souvent, s'engage une conversation sur la langue française entre ces élèves et moi : à partir de l'argot de mes romans, à partir de l'argot comme langage de substitution, de dissimulation, et en tout cas de connivence, à propos de son emploi, dans la violence bien sûr, mais dans la tendresse aussi (plus encore que les autres, les mots d'argot sont sensibles au ton, ils n'ont pas leur pareil pour passer de l'insulte à la caresse), à propos de ses origines très anciennes dans une France qui travaille depuis des siècles à son unité linguistique, à propos de sa diversité : argot de bandits, argot de quartiers, de métiers, de milieux, de communautés, à propos de son assimilation progressive par la langue dominante et du rôle que, de Villon à nos jours, la littérature joue dans cette lente digestion (d'où la présence de gros mots dans mes propres romans)... Et, de fil en aiguille, nous voilà parlant de l'histoire des mots :

– Car les mots ont une histoire, ils ne tombent pas de notre bouche comme un œuf du jour ! Les mots évoluent, leurs existences sont aussi imprévisibles que les nôtres. Certains finissent par dire le contraire de ce qu'ils disaient à leur début : l'adjectif « énervé », par exemple, pouvait désigner une petite grenouille dont on avait ôté les nerfs, une pauvre petite bête d'expérience réduite à l'état de flaque, mais certainement pas Mouloud, ici présent, que son voisin est en train d'« énerver », et qui devient franchement « vénère » ! Les mots dérivent même jusqu'à l'argot. Prenez la pauvre « vache », si paisible dans ses prairies, et qui, au fil du temps, a désigné tant de gens qu'on n'aimait pas : la prostituée au XVIIe, le policier à la fin du XIXe, ou tous les méchants d'aujourd'hui qui nous font des « vacheries » ! La vache si modeste, qui

a engendré, va savoir pourquoi, un « vachement » on
ne peut plus superlatif.

Ce fut au cours d'une de ces conversations qu'un
professeur demanda à ses élèves :

– Quelqu'un peut-il me donner un exemple de mot
« normal » devenu un mot de votre argot à vous ?

– ...

– Allez-y ! Un mot que vous prononcez cent fois
par jour quand vous vous moquez de quelqu'un.

– ...

– ...

– « Bouffon », m'dame ? C'est un bouffon ?

– Oui, « bouffon », par exemple.

– ...

« Bouffon », je l'ai entendu pour la première fois au
début des années quatre-vingt-dix, celui-là, en entrant
dans ma classe, un matin où deux petits coqs, dressés
sur leurs ergots, s'apprêtaient à se taper dessus.

– Il m'a traité de bouffon, m'sieur !

Le mot, remonté du XIIIᵉ siècle italien, où il dési-
gnait les amuseurs de cour, explosa devant moi ce
matin-là comme synonyme de « pauvre mec ». Quinze
nouvelles années ayant passé, l'injure désigne aujour-
d'hui pour les élèves de cette classe, comme pour
ceux de *L'esquive* et plus généralement pour les
jeunes gens de leur milieu et de leur génération, tous
ceux qui ne partagent pas leurs codes, autrement dit
ceux que la jeunesse de ma vieille maman, qui pourtant en était, appelait déjà les bourgeois (« Il a vraiment l'esprit trop bourgeois »...).

« Bourgeois »... Voilà un mot qui en a vu de toutes

les couleurs ! Du dédain de l'aristocrate à la colère de l'ouvrier en passant par la fureur de la jeunesse romantique, l'anathème des surréalistes, la condamnation universelle des marxistes-léninistes et le mépris des artistes en tout genre, l'histoire l'aura à ce point lardé de connotations péjoratives que pas un enfant de la bourgeoisie ne se qualifie ouvertement de bourgeois sans un sentiment confus de honte ontologique.

Peur du pauvre chez le bourgeois, mépris du bourgeois chez le pauvre... Hier, le blouson noir de mon adolescence faisait déjà peur au bourgeois, puis vint le loubard de ma jeunesse pour inquiéter les bourges ; aujourd'hui ce sont les jeunes des cités qui effrayent le bouffon. Pourtant, pas plus que le bourgeois d'hier n'avait l'occasion de rencontrer le blouson noir sur son chemin, le bouffon d'aujourd'hui ne risque de croiser sur le sien un de ces adolescents voués à de lointaines cages d'escaliers.

À combien de gosses des cités notre meneur de jeu effrayé par les adolescents de *L'esquive* a-t-il eu affaire, personnellement ? Peut-il seulement les compter sur les doigts d'une main ? Aucune importance, il lui suffit de les entendre parler dans un film, d'écouter trente secondes de leur musique à la radio, de voir brûler des voitures lors d'une flambée sociale en banlieue, pour qu'il soit saisi d'une terreur générique, et les désigne comme l'armée des cancres qui aura raison de notre civilisation.

V

MAXIMILIEN
ou
le coupable idéal

Les profs, ils nous prennent la tête, m'sieur !

1

Belleville, soir d'hiver, nuit tombée, rue Julien-Lacroix, je rentre chez moi, pipe au bec, sac à provisions, rêvasserie, quand un type adossé à un mur m'arrête en laissant tomber son bras comme une barrière de parking. Petit coup au cœur.

– Passe-moi du feu !

Comme ça, sans plus d'égard pour la quarantaine d'années qui nous sépare. C'est un grand gaillard de dix-huit ou vingt ans, noir, costaud, qui joue les faux calmes, sûr de ses muscles et de son bon désir : il exige du feu, on lui en donne, un point c'est tout.

Je pose mon sac à provisions, sors mon briquet, tends la flamme vers sa cigarette. Il baisse la tête, creuse les joues en aspirant, et me regarde pour la première fois par-dessus le bout rougeoyant. Ici, changement d'attitude. Ses yeux s'écarquillent, il laisse retomber son bras, ôte la cigarette de sa bouche, et balbutie :

– Oh ! Pardon, m'sieur...

Une hésitation.

– Vous n'êtes pas... ? Vous écrivez des... Vous êtes écrivain, non ?

Je pourrais me dire avec un friselis de plaisir :
Allons bon, un lecteur, mais un vieil instinct me
souffle autre chose : Tiens, un élève, son prof de français doit le faire plancher sur un *Malaussène* ; dans
une seconde il va me demander de lui donner un
coup de main.

– Oui, j'écris des livres, pourquoi ?

Et ça ne rate pas.

– Parce que notre prof, elle nous fait lire *La fée, La
fée...*

Bon, il sait qu'il y a le mot « fée » dans le titre.

– Ça parle de Belleville et des vieilles dames, et...

– *La fée carabine*, oui. Et alors ?

Ici, il redevient un mouflet qui se tortille les doigts
dans la tête avant de poser la question décisive :

– On a une explication de texte à rendre. Vous
voulez pas m'aider un peu, me dire deux ou trois
trucs ?

Je reprends mon sac à provisions.

– Tu as vu comme tu m'as demandé du feu ?

Embarras.

– Tu voulais me faire peur ?

Protestation :

– Non, m'sieur, sur la tête de Mam !

– Ne mets pas ta mère en danger. Tu voulais me
faire peur. (Je me garde bien de préciser qu'il y est
presque arrivé.) Et je ne suis pas le premier de la
journée. À combien de personne as-tu parlé comme
ça aujourd'hui ?

– ...

– Seulement moi, tu m'as reconnu, et maintenant

218

tu veux que je t'aide. Mais quand tu n'as pas à faire un devoir sur eux, comment font-ils, les gens, avec ton bras qui leur barre la route ? Ils ont peur de toi et tu es content, c'est ça ?

– Non, m'sieur, allez...

– Le respect, tu connais pourtant ; c'est un mot que tu prononces cent fois par jour, non ? Tu viens de me manquer de respect et tu voudrais que je t'aide ?

– ...

– Comment t'appelles-tu ?

– Max, monsieur.

Il complète très vite :

– Maximilien !

– Eh bien, Maximilien, tu viens de rater une bonne occasion. J'habite là, regarde, juste là, rue Lesage, ces fenêtres, là-haut. Si tu m'avais demandé du feu poliment, nous y serions déjà et je t'aiderais à faire ton devoir. Mais maintenant, non, pas question.

Dernière tentative :

– Allez, m'sieur...

– La prochaine fois, Maximilien, quand tu parleras aux gens avec respect, mais pas ce soir ; ce soir, tu m'as mis en colère.

2

Je repense souvent à ma rencontre avec Maximilien. Drôle d'expérience pour lui comme pour moi. En l'espace d'une seconde j'ai frémi devant le voyou et récupéré mes billes devant l'élève. Lui a kiffé en intimidant le bouffon puis blêmi devant la statue de Victor Hugo (rue Lesage, à Belleville, parmi les gosses que j'ai vus grandir, certains m'appelaient en blaguant m'sieur Hugo). Maximilien et moi avons eu deux représentations l'un de l'autre : le voyou à craindre ou l'élève à aider, le bouffon à intimider ou l'écrivain à solliciter. Par bonheur, la lueur d'un briquet les a mêlées. En une seconde nous avons été à la fois le voyou *et* le lycéen, le bouffon *et* le romancier ; le réel y a gagné en complexité. Si nous en étions restés à l'épisode de la cigarette et que Maximilien ne m'eût pas reconnu, je serais rentré chez moi honteux d'avoir éprouvé un brin de trouille devant une caillera et lui ravi d'avoir fait rhafer un vieux bouffon. Il aurait pu s'en vanter auprès de ses copains, et j'aurais pu m'en plaindre dans un micro. La vie serait restée simple, en somme : le voyou des faubourgs humiliant le sage citoyen, une vision du monde conforme aux fantasmes contemporains. Par bonheur la flamme d'un briquet a révélé une réalité plus complexe : la rencontre d'un adolescent qui a beaucoup à apprendre et d'un adulte qui a beaucoup à lui enseigner. Entre autres ceci : si tu veux devenir empereur, Maximilien, ne serait-ce que de toi-même, ne joue plus à effrayer le bouffon, n'ajoute pas un gramme de vérité à la statue du cancre terrifiant que les faux trouillards qui tiennent le micro bâtissent tranquillement sur ton dos.

– Ouais...

Je relis ce que je viens d'écrire et j'entends un petit ricanement intérieur.

– Ouais, ouais, ouais...

Aucun doute, cette ironie, c'est encore lui, le cancre que j'étais.

– Jolies phrases, dis donc ! Belle leçon de morale qu'il a reçue là, le Maximilien !

Et d'enfoncer le clou, comme d'habitude.

– Une petite poussée d'autosatisfaction ?

– ...

– Autrement dit, tu n'as pas aidé cet élève...

– ...

– Parce qu'il n'était pas poli, c'est ça ?

– ...

– Et tu es content de toi ?

– ...

– Qu'est-ce que tu as fait de tes principes ? Les beaux principes exposés plus haut. Rappelle-toi : *La peur de lire se soigne par la lecture, celle de ne pas comprendre par l'immersion dans le texte...* Ce genre de déclaration. Tu t'assieds dessus ?

— ...

— En fait, tu as merdé, ce soir-là, avec Maximilien ! Trop furieux, peut-être, ou trop peureux, ça t'arrive à toi aussi d'avoir peur, particulièrement quand tu es fatigué. Tu sais très bien qu'il fallait prendre ce gars par le bras, l'amener chez toi, l'aider à faire son explication de texte, et discuter avec lui si nécessaire, quitte à l'engueuler, mais *après* avoir fait le devoir ! Répondre à la demande, c'était ça, l'urgence, puisque, par chance, il y avait une demande ! Mal formulée ? D'accord ! Intéressée ? Toutes les demandes sont intéressées, tu le sais très bien ! C'est ton boulot de transformer l'intérêt calculé en intérêt pour le texte ! Mais plaquer Maximilien sur ce trottoir pour rentrer chez toi comme tu l'as fait, c'était laisser debout le mur qui vous sépare. Le consolider, même ! Il y a une fable de La Fontaine, là-dessus. Veux-tu que je te la récite ? Tu y joues le rôle principal !

L'ENFANT ET LE MAÎTRE D'ÉCOLE

Dans ce récit je prétends faire voir
D'un certain Sot la remontrance vaine.
Un jeune Enfant dans l'eau se laissa choir,
En badinant sur les bords de la Seine.
Le ciel permit qu'un saule se trouva
Dont le branchage, après Dieu, le sauva.
S'étant pris, dis-je, aux branches de ce saule,

Par cet endroit passe un Maître d'école ;
L'enfant lui crie : Au secours, je péris.
Le Magister, se tournant à ses cris,
D'un ton fort grave à contretemps
S'avise de le tancer : Ah le petit Babouin !
Voyez, dit-il, où l'a mis sa sottise !
Et puis prenez de tels fripons le soin.
Que les parents sont malheureux, qu'il faille
Toujours veiller à semblable canaille !
Qu'ils ont de maux ! Et que je plains leur sort !
Ayant tout dit il mit l'Enfant à bord.
Je blâme ici plus de gens qu'on ne pense.
Tout babillard, tout censeur, tout pédant,
Se peut connaître au discours que j'avance :
Chacun des trois fait un peuple fort grand ;
Le Créateur en a béni l'engeance.
En toute affaire ils ne font que songer
Aux moyens d'exercer leur langue.
Hé mon ami, tire-moi de danger ;
Tu feras après ta harangue.

3

Maximilien est la figure du cancre contemporain. Entendre parler de l'école d'aujourd'hui, c'est essentiellement entendre parler de lui. Douze millions quatre cent mille jeunes Français sont scolarisés chaque année, dont environ un million d'adolescents issus des immigrations. Mettons que deux cent mille soient en échec scolaire rédhibitoire. Combien sur ces deux cent mille ont-ils basculé dans la violence verbale ou physique (insultes aux professeurs, dont la vie devient un enfer, menaces, coups, déprédation de locaux...) ? Le quart ? Cinquante mille ? Admettons. Il s'ensuit que sur une population de douze millions quatre cent mille élèves, 0,4 % suffisent à alimenter l'image de Maximilien, le fantasme horrifiant du cancre dévoreur de civilisation, qui monopolise tous nos moyens d'information dès qu'on parle de l'école, et enfièvre toutes les imaginations, y compris les plus réfléchies.

Supposons que je me trompe dans mes calculs, qu'il faille multiplier par deux ou par trois mes 0,4 %, le chiffre demeure dérisoire et la peur entretenue contre cette jeunesse parfaitement honteuse pour les adultes que nous sommes.

Adolescent issu d'une cité ou d'une quelconque barre des quartiers périphériques, Black, Beur ou Gaulois relégué, grand amateur de marques et de téléphones portables, électron libre mais qui se déplace en groupe, encapuchonné jusqu'au menton, taggueur de murs et de RER, amateur d'une musique hachée aux paroles vengeresses, parlant fort et réputé taper dru, présumé casseur, dealer, incendiaire ou graine d'extrémiste religieux, Maximilien est la figure contemporaine des faubourgs d'antan ; et comme naguère le bourgeois aimait à s'encanailler rue de Lappe ou dans les guinguettes du bord de Marne hantées par les apaches, le bouffon d'aujourd'hui aime à côtoyer Maximilien, mais en image seulement, image qu'il cuisine à toutes les sauces du cinéma, de la littérature, de la publicité et de l'information. Maximilien est à la fois l'image de ce qui fait peur, et celle de ce qui fait vendre, le héros des films les plus violents et le vecteur des marques les plus portées. Si, physiquement (l'urbanisme, le coût de l'immobilier et la police y veillent), Maximilien est confiné aux marges des grandes villes, son image, elle, est diffusée jusqu'au cœur le plus cossu de la cité, et c'est avec horreur que le bouffon voit ses propres enfants s'habiller comme Maximilien, adopter le sabir de Maximilien, et même, comble de l'épouvante, accorder sa voix aux sons émis par la voix de Maximilien ! De là à hurler à la mort de la langue française et à la fin prochaine de la civilisation, il n'y a qu'un pas, vite franchi, avec une peur d'autant plus délicieuse qu'au fond de soi c'est Maximilien que l'on sait sacrifié.

4

À y regarder de près, Maximilien est l'envers de la médaille du jeunisme. Notre époque s'est fait un devoir de jeunesse : il faut être jeune, penser jeune, consommer jeune, vieillir jeune, la mode est jeune, le foot est jeune, les radios sont jeunes, les magazines sont jeunes, la pub est jeune, la télé est pleine de jeunes, internet est jeune, les people sont jeunes, les derniers baby boomers vivants ont su rester jeunes, nos hommes politiques eux-mêmes ont fini par rajeunir. Vive la jeunesse ! Gloire à la jeunesse ! Il faut être jeune !

À condition de n'être pas Maximilien.

5

– Les profs, ils nous prennent la tête, m'sieur !

– Tu te trompes. Ta tête est déjà prise. Les professeurs essayent de te la rendre.

Cette conversation, je l'ai eue dans un lycée technique de la région lyonnaise. Pour atteindre l'établissement il m'avait fallu traverser un no man's land d'entrepôts en tous genres où je n'avais rencontré âme qui vive. Dix minutes de marche à pied entre de hauts murs aveugles, des silos de béton à toit de fibrociment, c'était la jolie promenade du matin que la vie offrait aux élèves logés dans les barres alentour.

De quoi avons-nous parlé, ce jour-là ? De la lecture bien sûr, de l'écriture aussi, de la façon dont les histoires viennent à l'esprit des romanciers, de ce que le mot « style » veut dire quand on n'en fait pas un synonyme de « comme », de la notion de personnage et de la notion de personne, de bovarysme par conséquent, du danger d'y céder trop longtemps une fois le roman refermé (ou le film vu), du réel et de l'imaginaire, de l'un qu'on fait passer pour l'autre dans les

émissions de téléréalité, toutes choses qui passion-
nent les élèves de tout bord dès qu'ils les envisagent
avec sérieux... Et, plus généralement, nous avons
parlé de leur rapport à la culture. Il va sans dire
qu'ils voyaient un écrivain pour la première fois,
qu'aucun d'entre eux n'avait jamais assisté à une
pièce de théâtre, et que très peu étaient allés jusqu'à
Lyon. Comme je leur en demandais la raison, la
réponse ne se fit pas attendre :

– Eh ! On va pas aller là-bas se faire traiter de
caillera par tous ces bouffons !

Le monde était en ordre, en somme : la ville avait
peur d'eux et ils craignaient le jugement de la ville...
Comme beaucoup de jeunes gens de cette génération, garçons et filles, ils étaient pour la plupart si
grands qu'on les aurait crus poussés entre les murs
des entrepôts à la recherche du soleil. Certains
étaient à la mode – à *leur* mode croyaient-ils, mais
uniformément planétaire – et tous forçaient cet accent
répandu par le rap qu'affectent même les jeunes
bouffons les mieux branchés des centres-villes où ils
n'osaient se rendre.

Nous en vînmes à parler de leurs études.

C'est à ce stade de la conversation qu'intervint le
Maximilien de service. (Oui, j'ai décidé de donner à
tous les cancres de ce livre, cancres de banlieue ou
cancres de quartiers chics, ce beau prénom superlatif.)

– Les profs, ils nous prennent la tête !

C'était visiblement le cancre de la classe. (Il y
aurait long à dire sur cet adverbe « visiblement »,

mais le fait est que les cancres se remarquent très vite dans une classe. Dans toutes celles où l'on m'invite, établissements de luxe, lycées techniques ou collèges de quelconques cités, les Maximilien sont reconnaissables à l'attention crispée ou au regard exagérément bienveillant que leur professeur porte sur eux quand ils prennent la parole, au sourire anticipé de leurs camarades, et à un je-ne-sais-quoi de décalé dans leur voix, un ton d'excuse ou une véhémence un peu vacillante. Et quand ils se taisent – souvent, Maximilien se tait –, je les reconnais à leur silence inquiet ou hostile, si différent du silence attentif de l'élève qui engrange. Le cancre oscille perpétuellement entre l'excuse d'être et le désir d'exister malgré tout, de trouver sa place, voire de l'imposer, fût-ce par la violence, qui est son antidépresseur.)

– Comment ça, les profs vous prennent la tête ?

– Ils prennent la tête, c'est tout ! Avec leurs trucs qui servent à rien !

– Par exemple, quel truc qui ne sert à rien ?

– Tout, quoi ! Les... matières ! C'est pas la vie !

– Comment t'appelles-tu ?

– Maximilien.

– Eh bien tu te trompes, Maximilien, les profs ne te prennent pas la tête, ils essayent de te la rendre. Parce que ta tête, elle est déjà prise.

– Elle est prise, ma tête ?

– Qu'est-ce que tu portes à tes pieds ?

– À mes pieds ? J'ai mes N, m'sieur ! (Ici le nom de la marque.)

– Tes quoi ?

– Mes N, j'ai mes N !

– Et qu'est-ce que c'est, tes N ?

– Comment ça, qu'est-ce que c'est ? C'est mes N !

– Comme objet, je veux dire, qu'est-ce que c'est comme objet ?

– C'est mes N !

Et, comme il ne s'agissait pas d'humilier Maximilien, c'est aux autres que j'ai, une nouvelle fois, posé la question :

– Qu'est-ce que Maximilien porte à ses pieds ?

Il y eut des échanges de regards, un silence embarrassé ; nous venions de passer une bonne heure ensemble, nous avions discuté, réfléchi, plaisanté, beaucoup ri, ils auraient bien voulu m'aider, mais il fallut en convenir, Maximilien avait raison :

– C'est ses N, m'sieur.

– D'accord, j'ai bien vu, oui, ce sont des N, mais comme objet, qu'est-ce que c'est comme objet ?

Silence.

Puis, une fille, soudain :

– Ah ! Oui, comme objet ! Ben, c'est des baskets !

– C'est ça. Et un nom plus général que « baskets » pour désigner ce genre d'objets, tu aurais ?

– Des… chaussures ?

– Voilà, ce sont des baskets, des chaussures, des pompes, des groles, des godasses, des tatanes, tout ce que vous voulez, mais pas des N ! N, c'est leur marque et la marque n'est pas l'objet !

Question de leur professeur :

– L'objet sert à marcher, la marque sert à quoi ?

Une fusée éclairante au fond de la classe :

– À s'la péter, m'dame !
Rigolade générale.
La professeur :
– À faire le prétentieux, oui.
Nouvelle question de leur prof, qui désigne le pull-over d'un autre garçon.
– Et toi, Samir, qu'est-ce que tu portes, là ?
Même réponse instantanée :
– C'est mon L, m'dame !
Ici, j'ai mimé une agonie atroce, comme si Samir venait de m'empoisonner et que je mourais en direct devant eux, quand une autre voix s'est écriée en riant :
– Non, non, c'est un pull ! Ça va, m'sieur, restez avec nous, c'est un pull, son L, c'est un pull !
Résurrection :
– Oui, c'est son pull-over, et même si « pull-over » est un mot d'origine anglaise, c'est toujours mieux qu'une marque ! Ma mère aurait dit : son chandail, et ma grand-mère : son tricot, vieux mot, « tricot », mais toujours mieux qu'une marque, parce que ce sont les marques, Maximilien, qui vous prennent la tête, pas les profs ! Elles vous prennent la tête, vos marques : C'est mes N, c'est mon L, c'est ma T, c'est mon X, c'est mes Y ! Elles vous prennent votre tête, elles vous prennent votre argent, elles vous prennent vos mots, et elles vous prennent votre corps aussi, comme un uniforme, elles font de vous des publicités vivantes, comme les mannequins en plastique des magasins !
Ici, je leur raconte que dans mon enfance il y avait

des hommes-sandwichs et que je me rappelais encore l'un d'eux, sur le trottoir, en face de chez moi, un vieux monsieur sanglé entre deux pancartes qui vantaient une marque de moutarde :

– Les marques font la même chose avec vous.

Maximilien, pas si bête :

– Sauf que nous, elles nous payent pas !

Intervention d'une fille :

– C'est pas vrai, à la porte des lycées, en ville, ils prennent des petits caïds, des frimeurs en chef, ils les sapent gratos pour qu'ils se la pètent en classe. La marque fait kiffer leurs potes et ça fait vendre.

Maximilien :

– Super !

Leur professeur :

– Tu trouves ? Moi je trouve qu'elles coûtent très cher, vos marques, mais qu'elles *valent* beaucoup moins que vous.

Suivit une discussion approfondie sur les notions de coût et de valeur, pas les valeurs vénales, les autres, les fameuses valeurs, celles dont ils sont réputés avoir perdu le sens...

Et nous nous sommes séparés sur une petite manif verbale : « Li-bé-rez les mots ! – Li-bé-rez les mots ! », jusqu'à ce que tous leurs objets familiers, chaussures, sacs à dos, stylos, pull-overs, anoraks, baladeurs, casquettes, téléphones, lunettes, aient perdu leurs marques pour retrouver leur nom.

6

Le lendemain de cette visite, revenu à Paris, comme je descendais des collines du XXᵉ arrondissement vers mon bureau, l'idée m'est venue d'évaluer les élèves que je croisais sur ma route, en me livrant à un calcul méthodique : 100 euros de baskets, 110 de jeans, 120 de blouson, 80 de sac à dos, 180 de baladeur (à 90 décibels la ravageuse tournée auditive), 90 euros pour le téléphone portable multifonction, sans préjuger de ce que contiennent les trousses, que je vous fais, bon prix, à 50 euros, le tout monté sur des rollers flambant neufs, à 150 euros la paire. Total : 880 euros, soit 5 764 francs par élève, c'est-à-dire 576 400 francs de mon enfance. J'ai vérifié, les jours suivants, à l'aller comme au retour, en comparant avec les prix affichés dans les vitrines qui se trouvaient sur mon chemin. Tous mes calculs aboutissaient aux alentours du demi-million. Chacun de ces gosses valait un demi-million des francs de mon enfance ! C'est une estimation moyenne par enfant de la classe moyenne doté de parents à revenus moyens, dans le Paris d'aujourd'hui. Le prix d'un élève parisien remis à neuf, disons, à la fin des vacances de Noël, dans une société qui envisage sa jeunesse avant tout comme une clientèle, un marché, un champ de cibles.

Des enfants clients, donc, avec ou sans moyens, ceux des grandes villes comme ceux des banlieues, entraînés dans la même aspiration à la consommation, dans le même universel aspirateur à désirs, pauvres et riches, grands et petits, garçons et filles, siphonnés pêle-mêle par l'unique et tourbillonnante sollicitation : consommer ! C'est-à-dire changer de produit, vouloir du neuf, plus que du neuf, le dernier cri. La marque ! Et que ça se sache ! Si leurs marques étaient des médailles, les gosses de nos rues sonneraient comme des généraux d'opérette. Des émissions très sérieuses vous expliquent en long et en large qu'il y va de leur identité. Le matin même de la dernière rentrée scolaire, une grande prêtresse du marketing déclarait à la radio, sur le ton pénétré d'une aïeule responsable, que l'École devait s'ouvrir à la publicité, laquelle serait une catégorie de l'information, elle-même aliment premier de l'instruction. CQFD. J'ai dressé l'oreille. Que nous contez-vous là, Madame Marketing, de votre sage voix de grand-mère, si bien timbrée ? La publicité dans le même sac que les sciences, les arts et les humanités ! Grand-Mère, êtes-vous sérieuse ? Elle l'était, la coquine. Et diablement. C'est qu'elle ne parlait pas en son nom, mais au nom de *la vie telle qu'elle est* ! Et tout à coup m'est apparue la vie selon Grand-Mère marketing : une gigantesque surface marchande, sans murs, sans limites, sans frontières, et sans autre objectif que la consommation ! Et l'école idéale selon Grand-Mère : un gisement de consommateurs toujours plus gourmands ! Et la mission des enseignants : préparer les élèves à pousser leur caddie dans les allées sans fin de la vie marchande ! Qu'on cesse de les tenir à l'écart de la société de consommation !, martelait Grand-Mère, qu'ils sortent « informés » du ghetto scolaire ! Le ghetto scolaire, c'est ainsi que Grand-Mère appelait l'École ! Et l'information, c'est à quoi elle réduisait l'instruction ! Tu entends, oncle Jules ? Les gosses que tu sauvais de l'idiotie familiale, que tu arrachais à l'inextricable maquis des préjugés et de l'ignorance, c'était pour les enfermer dans le ghetto scolaire, dis donc ! Et vous, ma violoncelliste du Blanc-Mesnil, saviez-vous qu'à éveiller vos élèves à la littérature plus qu'à la publicité vous n'étiez que la garde-chiourme aveugle du ghetto scolaire ? Ah ! professeurs, quand donc écouterez-vous Grand-Mère ? Quand donc vous mettrez-vous dans le crâne que l'univers n'est pas à comprendre mais à consommer ? Ce ne sont ni les *Pensées* de Pascal, ni le *Discours de la méthode*, ni la *Critique de la Raison pure*, ni Spinoza ni Sartre qu'il faut mettre entre les mains de vos élèves, ô philosophes, c'est le *Grand catalogue de ce qui se fait de mieux dans la vie telle qu'elle est* ! Allez, Mère-Grand, je t'ai reconnue sous ton déguisement de mots, tu es bel et bien le méchant loup des contes ! Emmitouflée dans tes raisonnements ensorceleurs, tu t'es couchée gueule ouverte à la sortie des écoles pour y croquer les petits chaperons consommateurs, Maximilien en tête, bien sûr, qui a moins de défense que les autres. Délicieuse à croquer, cette tête saturée d'envies, que les professeurs tentent de t'arracher, les pauvres, si peu armés, avec leurs deux heures de ceci, leurs trois heures de cela, contre ta formidable artillerie publicitaire ! Gueule ouverte, Mère-Grand, à la sortie des écoles, et ça marche ! Depuis le milieu des années soixante-dix, ça marche de mieux en mieux ! Ceux que tu croques aujourd'hui sont les enfants de ceux que tu croquais hier ! Hier, mes élèves, aujourd'hui la progéniture de mes élèves. Des familles entières occupées à prendre leurs plus petits désirs pour des besoins vitaux dans l'effroyable mixture de ta digestion argumentée ! Réduits, tous, grands et petits, au même état d'enfance perpétuellement désirante. Encore ! encore ! crie, du fond de ton estomac, le peuple des consommateurs consommés, enfants et parents confondus. Encore ! encore ! Et c'est bien entendu Maximilien qui crie le plus fort.

7

Un goût amer m'est venu en quittant mes jeunes
banlieusards lyonnais. Ces gosses étaient abandonnés dans un désert urbain. Leur lycée lui-même
était invisible, perdu dans le labyrinthe des entrepôts. Leur cité n'était pas beaucoup plus gaie... Pas
un café en vue, pas un cinéma, rien qui vive, rien sur
quoi poser les yeux si ce n'est ces publicités gigantesques vantant des objets hors de leur portée...
Comment leur reprocher cette frime perpétuelle,
cette image de soi composée pour le public miroir du
groupe ? Il est assez facile de moquer leur besoin
d'être vus, eux qui sont à ce point cachés au monde
et qui ont si peu à voir ! Que leur offre-t-on d'autre
que cette tentation d'exister *en tant qu'images*, eux
qui hériteront du chômage et que les hasards de
l'histoire ont, pour la plupart, interdits de passé et
privés de géographie ? Sur quoi peuvent-ils se repo-
ser d'autre – au sens où l'on prend du repos, où l'on
s'oublie un peu, où l'on se *reconstitue* – que sur le jeu
des apparences ? Car c'est cela, l'identité selon
Grand-Mère marketing : vêtir les jeunes d'apparence,

satisfaire ce permanent désir de photogénie... Dieu de Dieu, quelle rivale, pour les professeurs, cette marchande d'images toutes faites !

Dans le train qui me ramène de Lyon, je me dis qu'en rentrant chez moi, ce n'est pas seulement ma maison que je regagne : je retourne au cœur de mon histoire, je vais me blottir au centre de ma géographie. Quand je passe ma porte, je pénètre en un lieu où j'étais déjà moi-même bien avant ma naissance : le moindre objet, le moindre livre de ma bibliothèque, m'attestent dans ma séculaire identité... Il n'est pas trop difficile, à ce prix, d'échapper à la tentation de l'image.

Toute chose dont nous parlons ce soir-là, Minne et moi :

– Ne sous-estime pas ces gosses, me dit-elle, il faut compter avec leur énergie ! Et leur lucidité, une fois la crise d'adolescence passée. Beaucoup s'en sortent très bien.

Et de me citer les noms de nos amis qui s'en sont sortis. Ali, parmi eux, surtout, qui aurait fort bien pu mal tourner et qui, aujourd'hui, replonge au cœur du problème pour sauver les adolescents les plus menacés. Et, puisqu'ils sont victimes des images, c'est justement par le maniement de l'image qu'Ali a décidé de les tirer d'affaire. Il les arme de caméras et leur apprend à filmer leur adolescence telle qu'elle est, au-delà des apparences.

Conversation avec Ali (extrait)

– Ce sont des gosses en échec scolaire, m'explique-t-il, la mère est seule le plus souvent, certains ont déjà eu des ennuis avec la police, ils ne veulent pas entendre parler des adultes, ils se retrouvent dans des classes relais, quelque chose comme tes classes aménagées des années soixante-dix, je suppose. Je prends les caïds, les petits chefs de quinze ou seize ans, je les isole provisoirement du groupe, parce que c'est le groupe qui les tue, toujours, il les empêche de se constituer, je leur colle une caméra dans les mains et je leur confie un de leurs potes à interviewer, un gars qu'ils choisissent eux-mêmes. Ils font l'interview seuls dans un coin, loin des regards, ils reviennent, et nous visionnons le film tous ensemble, avec le groupe, cette fois. Ça ne rate jamais : l'interviewé joue la comédie habituelle devant l'objectif, et celui qui filme entre dans son jeu. Ils font les mariolles, ils en rajoutent sur leur accent, ils roulent des mécaniques dans leur vocabulaire de quatre sous en gueulant le plus fort possible, comme moi quand j'étais môme, ils en font des caisses, comme s'ils s'adressaient au groupe, comme si le seul spectateur possible, c'était le groupe, et pendant la projection leurs copains se marrent. Je projette le film une deuxième, une troisième, une quatrième fois. Les rires s'espacent, deviennent moins assurés. L'intervieweur et l'interviewé sentent monter quelque chose de bizarre, qu'ils n'arrivent pas à identifier. À la cinquième ou à la sixième projection, une vraie gêne s'installe entre

239

leur public et eux. À la septième ou à la huitième (je t'assure, il m'est arrivé de projeter neuf fois le même film !), ils ont tous compris, sans que je le leur explique, que ce qui remonte à la surface de ce film, c'est la frime, le ridicule, le faux, leur comédie ordinaire, leurs mimiques de groupe, toutes leurs échappatoires habituelles, et que ça n'a pas d'intérêt, zéro, aucune réalité. Quand ils ont atteint ce stade de lucidité, j'arrête les projections et je les renvoie avec la caméra refaire l'interview, sans explication supplémentaire. Cette fois on obtient quelque chose de plus sérieux, qui a un rapport avec leur vie réelle : ils se présentent, ils disent leur nom, leur prénom, ils parlent de leur famille, de leur situation scolaire, il y a des silences, ils cherchent leurs mots, on les voit réfléchir, celui qui répond autant que celui qui questionne, et, petit à petit, on voit *apparaître l'adolescence* chez ces adolescents, ils cessent d'être des jeunes qui s'amusent à faire peur, ils redeviennent des garçons et des filles de leur âge, quinze ans, seize ans, leur adolescence traverse leur apparence, elle s'impose, leurs vêtements, leurs casquettes redeviennent des accessoires, leur gestuelle s'atténue, instinctivement celui qui filme resserre le cadre, il zoome, c'est leur visage qui compte maintenant, on dirait que l'interviewer *écoute le visage de l'autre,* et sur ce visage, ce qui apparaît, c'est l'effort de comprendre, comme s'ils s'envisageaient pour la première fois tels qu'ils sont : ils font connaissance avec la complexité.

8

De son côté, Minne me raconte que dans les petites classes où elle intervient, elle joue à un jeu qui ravit les enfants : le jeu du village. C'est un jeu simple ; il consiste, en bavardant avec les petits, en découvrant les plus gros traits de leurs caractères, leurs aptitudes, leurs désirs, les marottes des uns et des autres, à transformer la classe en un village où chacun trouve sa place, jugée indispensable par les autres : la boulangère, le postier, l'institutrice, le garagiste, l'épicière, le docteur, la pharmacienne, l'agriculteur, le plombier, le musicien, chacun sa place, y compris ceux pour qui elle invente des métiers imaginaires, aussi indispensables que la collectrice de rêves ou le peintre de nuages...

– Et que fais-tu du bandit ? Le 0,4 %, le petit bandit, qu'est-ce que tu en fais ?

Elle sourit :

– Le gendarme, bien sûr.

9

Hélas, on ne peut pas éliminer le cas du vrai bandit, du bandit tueur, celui que, même par jeu, on ne transformera jamais en gendarme. Rarissime mais il existe. À l'école comme ailleurs. En vingt-cinq ans d'enseignement, sur deux mille cinq cents élèves environ, j'ai dû le croiser une ou deux fois. Je l'ai vu aussi sur le banc des assises, cet adolescent à la haine précoce, au regard glacé, dont on se dit qu'il finit dans un fait divers parce qu'il ne jugule aucune pulsion, ne retient pas ses coups, entretient sa fureur, prémédite sa vengeance, aime faire mal, terrorise les témoins et reste parfaitement étanche au remords, une fois son crime commis. Ce garçon de dix-huit ans, par exemple, qui brisa la colonne vertébrale du jeune K. à coups de hache pour la seule raison qu'il était du quartier d'en face... Ou cet autre, de quinze ans, qui poignarda son professeur de français. Mais, tout autant, cette jeune fille élevée dans les écoles privées, piètre élève le jour et séductrice la nuit de quadragénaires qu'elle livrait à deux comparses de son âge et de son milieu qui les torturaient à mort pour les voler. Après son interrogatoire elle demanda aux policiers médusés si elle pouvait rentrer à la maison.

Ce ne sont pas là des adolescents ordinaires. Une fois expliqué par tous les facteurs socio-psychologiques imaginables, le crime demeure le mystère de notre espèce. Il n'est pas surprenant que la violence physique augmente avec la paupérisation, le confinement, le chômage, les tentations de la société de satiété, mais qu'un garçon de quinze ans prémédite de poignarder son professeur – et le fasse ! – reste un acte pathologiquement singulier. En faire, à grand renfort de unes et de reportages télévisés, le symbole d'une jeunesse donnée, dans un lieu précis (la classe de banlieue), c'est faire passer cette jeunesse pour un nid d'assassins et l'école pour un foyer criminogène.

En matière d'assassinat, il n'est pas inutile de rappeler qu'une fois déduits les attaques à main armée, les rixes sur la voie publique, les crimes crapuleux et les règlements de comptes entre bandes rivales, 80 % environ des crimes de sang ont pour cadre le milieu familial. C'est avant tout chez eux que les hommes s'entretuent, sous leur toit, dans la fermentation secrète de leur foyer, au cœur de leur misère propre.

Faire passer l'école pour un lieu criminogène est, en soi, un crime insensé contre l'école.

10

À en croire l'air du temps, la violence ne serait entrée qu'hier à l'école, par les seules portes de la banlieue et par les seules voies de l'immigration. Elle n'y existait pas avant. C'est un dogme, ça ne se discute pas. Il me reste pourtant le souvenir de pauvres gens torturés par nos chahuts, dans les années soixante, ce professeur excédé jetant son bureau sur notre classe de troisième, par exemple, ou ce surveillant emmené menottes aux poignets pour avoir tabassé un élève qui l'avait acculé à la folie, et, au tout début des années quatre-vingt, ces jeunes filles apparemment fort sages, qui avaient envoyé leur professeur en cure de sommeil (j'étais son remplaçant) parce qu'il avait eu la prétention de leur faire fréquenter *La princesse de Clèves,* que ces demoiselles jugeaient « trop chiante »...

Dans les années soixante-dix, celles du xixᵉ siècle, cette fois, Alphonse Daudet exprimait déjà sa douleur de pion torturé :

Je pris possession de l'étude des moyens. Je trouvai là une cinquantaine de méchants drôles, montagnards

joufflus de douze à quatorze ans, fils de métayers enri-
chis, que leurs parents envoyaient au collège pour en
faire de petits bourgeois, à raison de cent vingt francs
par trimestre. Grossiers, insolents, parlant entre eux
un rude patois cévenol auquel je n'entendais rien, ils
avaient presque tous cette laideur spéciale à l'enfance
qui mue, de grosses mains rouges avec des engelures,
des voix de jeunes coqs enrhumés, le regard abruti, et
par là-dessus l'odeur du collège. Ils me haïrent tout de
suite, sans me connaître. J'étais pour eux l'ennemi, le
Pion ; et du jour où je m'assis dans ma chaire, ce fut la
guerre entre nous, une guerre acharnée, sans trêve, de
tous les instants.

Ah ! Les cruels enfants, comme ils me firent
souffrir !

Je voudrais en parler sans rancune, ces tristesses
sont si loin ! Eh bien ! non, je ne puis pas ; et tenez ! à
l'heure même où j'écris ces lignes, je sens ma main qui
tremble de fièvre et d'émotion. Il me semble que j'y suis
encore.

(...)

C'est si terrible de vivre entouré de malveillance,
d'avoir toujours peur, d'être toujours sur le qui-vive,
toujours armé, c'est si terrible de punir – on fait des
injustices malgré soi –, si terrible de douter, de voir
partout des pièges, de ne pas manger tranquille, de ne
pas dormir en repos, de se dire toujours, même aux
minutes de trêve : « Ah, mon Dieu, qu'est-ce qu'ils
vont me faire maintenant ? »

Allons, vous exagérez, Daudet ; puisqu'on vous dit qu'il faudra attendre un bon siècle pour que la violence entre à l'école ! Et pas par les Cévennes, Daudet, par la banlieue, la seule banlieue !

11

Naguère on représentait le cancre debout, au piquet, un bonnet d'âne vissé sur la tête. Cette image ne stigmatisait aucune catégorie sociale particulière, elle montrait un enfant parmi d'autres, mis au coin pour n'avoir pas appris sa leçon, pas fait son devoir, ou pour avoir chahuté monsieur Daudet, alias *Le Petit Chose*. Aujourd'hui, et pour la première fois de notre histoire, c'est toute une catégorie d'enfants et d'adolescents qui sont, quotidiennement, systématiquement, stigmatisés comme cancres emblématiques. On ne les met plus au coin, on ne leur colle plus de bonnet d'âne, le mot « cancre » lui-même est tombé en désuétude, le racisme est réputé une infamie, mais on les filme sans cesse, mais on les désigne à la France entière, mais on écrit sur les méfaits de quelques-uns d'entre eux des articles qui les présentent tous comme un inguérissable cancer au flanc de l'Éducation nationale. Non contents de leur faire subir ce qui s'apparente à un apartheid scolaire, il faut, en prime, que nous les appréhendions comme maladie nationale : ils sont *toute* la jeunesse de *toutes* les banlieues. Cancres, tous, dans l'imaginaire du public, cancres et dangereux : l'école, c'est eux, puisqu'on ne parle que d'eux lorsqu'on parle de l'école.

Puisqu'on ne parle de l'école que pour parler d'eux.

12

Il est vrai que certaines exactions commises (élèves rackettés, professeurs battus, lycées brûlés, viols) sont sans commune mesure avec les chahuts scolaires d'antan, qui se limitaient à des violences à peu près contrôlées dans le cadre défini des établissements scolaires. Pour rares qu'ils soient, la portée symbolique de ces méfaits est terrible et leur propagation presque instantanée par les images de la télévision, de la toile, des téléphones portables en décuple le danger mimétique.

Visite, il y a quelque temps, dans un lycée d'enseignement général et technologique, du côté de Digne ; je dois y rencontrer plusieurs classes.

Nuit d'hôtel.

Insomnie.

Télévision.

Reportage.

On y voit des petits groupes de jeunes gens, sur le Champ-de-Mars, en marge d'une manifestation d'étudiants, s'attaquer à des victimes de hasard. L'une des victimes tombe. C'est un garçon du même âge que ses bourreaux. On le bat. Il se relève, on le poursuit, il retombe, on le bat de nouveau. Les scènes se multiplient. Toujours le même scénario, la victime est choisie au hasard, sur impulsion d'un quelconque membre du groupe, lequel, mué en meute, s'acharne sur elle. La meute court après ce qui court, chacun y est poussé par les autres, dont il est lui-même le moteur. Ils courent à des vitesses de projectiles. Plus loin dans la même émission, un père dira de son fils qu'il s'est laissé entraîner ; c'est vrai, en tout cas au sens cinétique du terme : entraîné entraîneur. Maximilien (le mien) fait-il partie d'un de ces groupes ? L'idée me traverse. Mais ici la gratuité des agressions est telle que Maximilien peut aussi bien se trouver parmi les victimes ; pas le temps de faire les présentations, violence aveugle, immédiate, extrême. (Un avis déconseille l'émission aux moins de douze ans. Elle a dû passer une première fois à une heure de grande écoute et j'imagine que des grappes de gosses, alléchés par l'interdiction, ont aussitôt collé leur museau contre l'écran.) Ces scènes sont commentées par un policier et un psychologue. Le psychologue parle de déréalisation d'un monde sans travail submergé par les images de violence, le policier invoque le traumatisme des victimes et la responsabilité des coupables ; tous deux ont raison, bien sûr, mais ils donnent l'impression de camper sur deux terrains d'opinion inconciliables marqués par la chemise ouverte du psychologue et la cravate nouée du policier.

On suit maintenant un groupe de quatre jeunes gens appréhendés pour avoir tué un barman. Ils l'ont battu à mort, pour jouer. Une jeune fille filmait la scène sur son portable. Elle-même a shooté dans la tête de la victime comme s'il se fût agi d'un simple ballon. Le commissaire qui les a arrêtés confirme la perte total de sens du réel et, partant, celle de toute conscience morale. Ces quatre-là avaient passé la nuit à s'amuser à ça : battre les gens, et en faire des films. On les voit, grâce aux caméras de surveillance, aller d'une agression à l'autre, d'un pas tranquille, comme les copains vadrouilleurs d'*Orange mécanique*. Filmer ces violences sur des téléphones portables est une mode nouvelle, précise le commentateur. Une jeune femme, professeur, en a été victime, dans sa classe (images). On la montre, jetée à terre par un élève, battue, filmée. N'importe qui télécharge facilement ce genre de scène, aujourd'hui. On peut même les monter sur la musique de son choix. Commentaires désabusés de certains adolescents en train de visionner le film de la professeur battue.

Je zappe.

Proportion inouïe des films violents sur les autres chaînes. C'est une nuit tranquille, le citoyen dort paisiblement, mais au pied de son lit, dans le silence obscur de son poste, les images veillent. On s'y trucide sous toutes les formes, à tous les rythmes, sur tous les tons. L'humanité moderne met en scène le meurtre permanent de l'humanité moderne. Sur une chaîne épargnée, loin de la présence des hommes, dans la paix photogénique de la nature, ce sont les animaux qui s'entredévorent. En musique, eux aussi.

Je reviens à ma chaîne de départ. Un brave garçon

dont le métier consiste à télécharger toutes les scènes de violence extrême filmées de par le monde (lynchages, suicides, accidents, embuscades, bombes, meurtres, etc.) justifie son sale boulot par la classique antienne du devoir d'informer. S'il ne le fait pas, d'autres le feront, affirme-t-il ; il n'incarne pas la violence, il n'en est que le messager... Un salopard ordinaire, qui fait tourner la machine, au même titre que grand-mère marketing, son fils peut-être, et bon père de famille, va savoir...

J'éteins.

Pas moyen de trouver le sommeil. Je suis tenté d'opter à mon tour pour un pessimisme d'apocalypse. Paupérisation systématique d'un côté, terreur et barbarie généralisée de l'autre. Déréalisation absolue dans les deux camps : abstractions boursières chez les nantis, vidéo massacre chez les proscrits ; le chômeur transformé en idée de chômeur par les grands actionnaires, la victime en image de victime par les petits voyous. Dans tous les cas, disparition de l'homme en chair, en os et en esprit. Et les médias orchestrant cet opéra sanglant où les commentaires laissent à penser que, potentiellement, *tous* les gosses des banlieues pourraient courir les rues pour zigouiller leur prochain réduit à une image de prochain. La place de l'éducation là-dedans ? De l'école ? Celle de la culture ? Du livre ? De la raison ? De la langue ? À quoi bon me rendre demain dans ce lycée d'enseignement général et technologique si les élèves que je vais y rencontrer sont censés avoir passé la nuit dans les entrailles de cette télévision ?

Sommeil.

Réveil.

Douche.

La tête sous l'eau froide, un bon moment.

Bon Dieu, l'énergie qu'il faut pour *revenir à la réalité* après avoir vu ça ! Nom d'un chien, l'image qu'à partir de ces quelques cinglés on nous donne de la jeunesse ! Je la refuse. Entendons-nous bien, je ne nie pas la réalité de ce reportage, je ne sous-estime pas les dangers de la délinquance. Comme tout un chacun les formes contemporaines de la violence urbaine m'horrifient, je crains la chiennerie de la meute, je n'ignore pas non plus la douleur de vivre dans certains quartiers périphériques, j'y sens le danger des communautarismes, je sais très bien, entre autres, la difficulté d'y naître fille et d'y devenir femme, je mesure les risques extrêmes où s'y trouvent exposés les enfants issus d'une ou deux générations de chômeurs, quelles proies ils constituent pour les trafiquants de tout poil ! Je sais cela, je ne minimise pas les difficultés des professeurs confrontés aux élèves les plus déstructurés de cet effroyable gâchis social, mais je refuse d'assimiler à ces images de violence extrême *tous* les adolescents de *tous* les quartiers en péril, et surtout, surtout, je hais cette peur du pauvre que ce genre de propagande attise à chaque nouvelle période électorale ! Honte à ceux qui font de la jeunesse la plus délaissée un objet fantasmatique de terreur nationale ! Ils sont la lie d'une société sans honneur qui a perdu jusqu'au sentiment même de la paternité.

13

Il se trouve que c'est jour de fête au lycée d'enseignement général et technologique, ce matin-là ; la fête du bahut. Un lycée entier transformé pour deux ou trois jours en lieu d'exposition de tout ce que les élèves y créent en dehors de leurs études officielles : peinture, musique, théâtre, architecture même (ils ont construit eux-mêmes les stands d'exposition), sous la houlette d'une proviseur et d'une équipe de professeurs qui connaissent chaque fille et chaque garçon par leur prénom. Dans le hall, un petit orchestre d'élèves. Le violon m'accompagne le long des couloirs. Trois ou quatre classes m'attendent dans une vaste salle. Nous jouons pendant deux heures au libre jeu des questions et des réponses. Leur vivacité, leurs rires, leur brusque sérieux, leurs trouvailles, leur énergie vitale surtout, leur stupéfiante énergie me sauvent de mon cauchemar télévisuel.

Retour.

Quai de la gare.

Message d'Ali, dans mon portable :

– Salut, toi ! N'oublie pas notre rancard de demain : mes élèves t'attendent. Ils bouclent le montage de leurs films. Il faut que tu voies ça, ça les passionne !

VI

CE QU'AIMER VEUT DIRE

> « *Dans ce monde il faut être un peu*
> *trop bon pour l'être assez.* »
>
> Marivaux,
> *Le jeu de l'amour et du hasard.*

1

Dès que les mères désespérées raccrochent leur téléphone, je décroche le mien pour tenter de caser leur progéniture. Je fais la tournée des collègues : amis de vieille date, spécialistes en cas réputés désespérés, et moi jouant à mon tour le rôle de la maman éplorée. À l'autre bout du fil on s'en amuse :

– Ah ! te voilà, toi ! En général c'est la saison où tu te manifestes !

– Combien d'absences dans l'année, dis-tu ? Trente-sept ! Il a séché trente-sept fois et tu voudrais qu'on le prenne ? Tu le livres avec les menottes ?

Didier, Philippe, Stella, Fanchon, Pierre, Françoise, Isabelle, Ali et les autres... C'est qu'ils en ont sauvé plus d'un, tous autant qu'ils sont ! Nicole H., à elle seule, son lycée ouvert à tous les bras cassés de passage...

Il m'est même arrivé de plaider en milieu d'année.

– Allez, Philippe...

– Renvoyé pour quelle raison ? Bagarre ! À l'intérieur et à l'extérieur du bahut ? Même avec les vigiles du centre commercial ! Et ce n'est pas la première fois ? Beau cadeau de Noël, dis donc ! Envoie toujours, je verrai ce qu'on peut faire.

Ou ce dialogue avec mademoiselle G., directrice de collège. Je la trouve, occupée à surveiller un devoir sur table. Deux classes planchent sous ses yeux. Silence. Concentration. Stylos mâchonnés ou qui tournent à toute allure entre le pouce et l'index (comment réussissent-ils ça ? je n'y suis jamais arrivé), feuilles de brouillon vertes pour les uns, jaunes pour les autres... Le calme de l'étude. On entendrait voler un doute. J'ai toujours aimé le silence de la sieste et le calme de l'étude. Dans mon enfance il m'arrivait de les associer. J'avais le goût du repos immérité. Je sais tout sur l'art de faire semblant d'écrire en préparant une copie blanche. Mais il est difficile de jouer à ce petit jeu sous la surveillance de mademoiselle G.

Elle m'a vu entrer du coin de l'œil. Elle ne bronche pas. Elle sait que je ne la dérange jamais pour rien et que, si je m'y autorise, c'est rarement pour lui annoncer une bonne nouvelle. Je marche sans bruit vers son bureau, je me penche à son oreille et murmure mes arguments de vente :

– Quinze ans et huit mois, redouble sa troisième, a perdu l'habitude de travailler voilà une dizaine d'années, renvoyé pour d'innombrables motifs, arrêté le mois dernier dans le métro pour trafic de barrettes, mère en fuite, père irresponsable, vous le prenez ?

– ...

Mademoiselle G. ne me regarde toujours pas, elle

regarde ses ouailles, elle se contente de faire oui de la tête, mais :

– À une condition, murmure-t-elle sans remuer les lèvres.

– Laquelle ?

– Que vous ne me demandiez pas de vous remercier.

Ô ma si britannique mademoiselle G., ce consentement silencieux est un de mes meilleurs souvenirs de professeur ! C'est dans Marivaux, dans Marivaux, m'entendez-vous ?, pas dans un de vos livres pieux, dans Marivaux !, que j'ai trouvé la phrase qui devait secrètement vous servir de devise : « Dans ce monde, il faut être un peu trop bon pour l'être assez. »

Si j'ajoute que vous avez conduit ce garçon jusqu'au bac, j'en aurai dit un peu sur les effets de cette bonté-là.

2

Il suffit d'un professeur – un seul ! – pour nous sauver de nous-mêmes et nous faire oublier tous les autres.

C'est, du moins, le souvenir que je garde de monsieur Bal.

Il était notre professeur de mathématiques en première. Du point de vue de la gestuelle le contraire de Keating ; un professeur on ne peut moins cinématographique : ovale, je dirais, une voix aiguë et rien de particulier qui retienne le regard. Il nous attendait assis à son bureau, nous saluait aimablement, et dès ses premiers mots nous entrions en mathématique. De quoi était faite cette heure qui nous retenait tant ? Essentiellement de la matière que monsieur Bal y enseignait et dont il semblait habité, ce qui faisait de lui un être curieusement vivant, calme et bon. Étrange bonté, née de la connaissance même, désir naturel de partager avec nous la « matière » qui ravissait son esprit et dont il ne pouvait pas concevoir qu'elle nous fût répulsive, ou seulement étrangère. Bal était pétri de sa matière et de ses élèves. Il avait quelque chose du ravi de la crèche mathématique, une effarante innocence. L'idée qu'il pût être chahuté n'avait jamais dû l'effleurer, et l'envie de nous moquer de lui ne nous serait jamais venue, tant son bonheur d'enseigner était convaincant.

Nous n'étions pourtant pas un public docile. À peu près tous sortis de la poubelle de Djibouti, guère attachants. J'ai quelques souvenirs de bagarres nocturnes, en ville, et de règlements de comptes internes qui ne devaient rien à la tendresse. Mais, dès que nous franchissions la porte de monsieur Bal, nous étions comme sanctifiés par notre immersion dans les mathématiques et, l'heure passée, chacun de nous refaisait surface *mathematikos* !

Le jour de notre rencontre, lorsque les plus nuls d'entre nous s'étaient vantés de leurs zéros pointés, il avait répondu en souriant qu'il ne croyait pas aux *ensembles vides*. Sur quoi, il avait posé quelques questions fort simples et considéré nos réponses élémentaires comme d'inestimables pépites, ce qui nous avait beaucoup amusés. Puis, il avait inscrit le chiffre 12 au tableau en nous demandant ce qu'il écrivait là.

Les plus délurés avaient tenté une sortie :

– Les douze doigts de la main !

– Les douze commandements !

Mais l'innocence, dans son sourire, décourageait vraiment :

– C'est la note minimum que vous aurez au bac.

Il ajouta :

– Si vous cessez d'avoir peur.

Et encore :

– D'ailleurs, je n'y reviendrai pas. Ce n'est pas du baccalauréat que nous allons nous occuper ici, c'est de mathématiques.

De fait, il ne nous parla plus une seule fois du bac. Mètre après mètre, il occupa cette année à nous remonter du gouffre de notre ignorance, en s'amusant à le faire passer pour le puits même de la science ; il s'émerveillait toujours de ce que nous savions malgré tout.

– Vous croyez que vous ne savez rien, mais vous vous trompez, vous vous trompez, vous en savez énormément ! Regarde, Pennacchioni, savais-tu que tu savais ça ?

Bien entendu, cette maïeutique ne suffit pas à faire de nous des génies de la mathématique, mais si profond qu'ait été notre puits, monsieur Bal nous ramena tous au niveau de la margelle : la moyenne au baccalauréat.

Et sans la moindre allusion, jamais, à l'avenir calamiteux qui, d'après tant d'autres professeurs et depuis si longtemps, nous attendait.

3

Était-il lui-même un grand mathématicien ? Et, l'année suivante mademoiselle Gi une gigantesque historienne ? Et, durant ma seconde terminale, monsieur S. un philosophe hors de pair ? Je le suppose mais à vrai dire je l'ignore ; je sais seulement que ces trois-là étaient habités par la passion communicative de leur matière. Armés de cette passion ils sont venus me chercher au fond de mon découragement et ne m'ont lâché qu'une fois mes deux pieds solidement posés dans leur cours, qui se révéla être l'antichambre de ma vie. Ce n'est pas qu'ils s'intéressaient à moi plus qu'aux autres, non, ils considéraient également leurs bons et leurs mauvais élèves, et savaient ranimer chez les seconds le désir de comprendre. Ils accompagnaient nos efforts pas à pas, se réjouissaient de nos progrès, ne s'impatientaient pas de nos lenteurs, ne considéraient jamais nos échecs comme une injure personnelle et se montraient avec nous d'une exigence d'autant plus rigoureuse qu'elle était fondée sur la qualité, la constance et la générosité de leur propre travail. Pour le reste, on ne peut imaginer professeurs plus différents : monsieur Bal, si calme et si souriant, un bouddha mathématique, mademoiselle Gi au contraire un tronc de l'air (tron de l'èr comme on eût dit dans mon village), une tornade qui nous arrachait à notre gangue de paresse pour nous entraîner avec elle dans le cours tumultueux de l'Histoire, quand monsieur S., philosophe sceptique et pointu (nez pointu, chapeau pointu, ventre pointu), immobile et perspicace, me laissait le soir venu bourdonnant de questions auxquelles je brûlais de répondre. Je lui rendais des dissertations pléthoriques qu'il qualifiait d'exhaustives, suggérant par là que son confort de correcteur se fût accommodé de devoirs plus concis.

Tout bien réfléchi, ces trois professeurs n'avaient qu'un point commun : ils ne lâchaient jamais prise. Ils ne s'en laissaient pas conter par nos aveux d'ignorance. (Combien de dissertations mademoiselle Gi me fit-elle refaire pour cause d'orthographe défaillante ? Combien de cours supplémentaires monsieur Bal me donna-t-il parce qu'il me trouvait l'air vacant dans un couloir ou rêvassant dans une salle de permanence ? « Et si nous faisions un petit quart d'heure de math, Pennacchioni, tant que nous y sommes ? Allons-y, un bon petit quart d'heure... ») L'image du geste qui sauve de la noyade, la poigne qui vous tire vers le haut malgré vos gesticulations suicidaires, cette image brute de vie d'une main agrippant solidement le col d'une veste est la première qui me vient quand je pense à eux. En leur présence – en leur matière – je naissais à moi-même :

mais un moi mathématicien, si je puis dire, un moi historien, un moi philosophe, un moi qui, l'espace d'une heure, *m'*oubliait un peu, *me* flanquait entre parenthèses, *me* débarrassait du moi qui, jusqu'à la rencontre de ces maîtres, m'avait empêché de me sentir vraiment là.

Autre chose, il me semble qu'ils avaient un style. Ils étaient artistes en la transmission de leur matière. Leurs cours étaient des actes de communication, bien sûr, mais d'un savoir à ce point maîtrisé qu'il passait presque pour de la création spontanée. Leur aisance faisait de chaque heure un événement dont nous pouvions nous souvenir en tant que tel. À croire que mademoiselle Gi ressuscitait l'histoire, que monsieur Bal redécouvrait les mathématiques, que Socrate s'exprimait par la bouche de monsieur S. ! Ils nous donnaient des cours aussi mémorables que le théorème, le traité de paix ou l'idée fondamentale qui en constituaient, ce jour-là, le sujet. En enseignant, ils créaient l'événement.

Leur influence sur nous s'arrêtait là. Du moins leur influence apparente. Hors de la matière qu'ils incarnaient, ils ne cherchaient pas à nous impressionner. Ils n'étaient pas de ces professeurs qui se glorifient de leur ascendant sur un effectif d'adolescents en mal d'image paternelle. Avaient-ils seulement conscience d'être des maîtres libérateurs ? Quant à nous, nous étions leurs élèves de mathématiques, d'histoire ou de philosophie, et n'étions que cela. Certes nous en tirions une fierté un peu snob, comme les membres d'un club très fermé, mais ils auraient été les premiers surpris d'apprendre que, quarante-cinq ans plus tard, un de leurs élèves, grâce à eux devenu professeur, jouerait les disciples au point de leur dresser une statue ! D'autant que, comme ma violoncelliste du Blanc-Mesnil, une fois rentrés chez eux, en dehors de la correction de nos copies ou de la préparation de leurs cours, ils ne devaient plus guère penser à nous. Ils avaient à coup sûr d'autres centres d'intérêt, une curiosité ouverte, qui devaient nourrir leur force, ce qui expliquait, entre autres, la densité de leur présence en classe. (Mademoiselle Gi, surtout, me semblait avoir un appétit à dévorer le monde et ses bibliothèques.) Ce n'était pas seulement leur savoir que ces professeurs partageaient avec nous, c'était le désir même du savoir ! Et c'est le goût de sa transmission qu'ils me communiquèrent. Du coup, nous allions à leurs cours la faim au ventre. Je ne dirais pas que nous nous sentions aimés par eux, mais considérés, à coup sûr (respectés, dirait la jeunesse d'aujourd'hui), considération qui se manifestait jusque dans la correction de nos copies, où leurs annotations ne s'adressaient qu'à chacun de nous en particulier. Le modèle du genre étant les corrections de monsieur Beaum, notre professeur d'histoire en hypokhâgne. Il exigeait qu'on laissât vierge la dernière page de nos dissertations pour qu'il pût y taper à la machine – en rouge, sur un seul interligne – le corrigé détaillé de chaque devoir !

Ces professeurs, rencontrés dans les dernières années de ma scolarité, me changèrent beaucoup de tous ceux qui réduisaient leurs élèves à une masse commune et sans consistance, « cette classe », dont ils ne parlaient qu'au superlatif d'infériorité. Aux yeux de ceux-là nous étions toujours la plus mauvaise quatrième, troisième, seconde, première ou terminale de leur carrière, ils n'avaient jamais eu de classe moins... si... On eût dit qu'ils s'adressaient d'année en année à un public de moins en moins digne de leur enseignement. Ils s'en plaignaient à la direction, aux conseils de classes, aux réunions de parents. Leurs jérémiades éveillaient en nous une férocité particulière, quelque chose comme la rage que mettrait le naufragé à entraîner dans sa noyade le capitaine pleutre qui a laissé le bateau s'empaler sur le récif. (Oui, enfin, c'est une image... Disons qu'ils étaient surtout nos coupables idéaux comme nous étions les leurs ; leur dépression routinière entretenait chez nous une méchanceté de confort.)

Le plus redoutable d'entre eux fut monsieur Blamard (Blamard est un pseudonyme), triste bourreau de mes neuf ans, qui fit pleuvoir tant de mauvais points sur ma tête qu'aujourd'hui encore, coincé dans la queue d'une administration, il m'arrive de considérer mon ticket d'attente comme un verdict de Blamard : « Nᵒ 175, Pennacchioni, toujours aussi loin des félicitations ! »

Ou ce professeur de sciences naturelles, en terminale, à qui je dois mon exclusion du lycée. Se plaignant de ce que la moyenne générale de « cette classe » n'excédât pas les 3,5/20, il avait commis l'imprudence de nous en demander la raison. Front haussé, menton tendu, commissures tombantes :

– Alors quelqu'un peut-il expliquer cette... prouesse ?

J'ai levé un index poli et suggéré deux explications possibles : ou notre classe constituait une monstruosité statistique (32 élèves qui ne pouvaient dépasser une moyenne de 3,5 en sciences naturelles), ou ce résultat famélique sanctionnait la qualité de l'enseignement dispensé.

Content de moi, je suppose.

Et fichu à la porte.

– Héroïque mais inutile, me fit observer un copain : sais-tu la différence entre un professeur et un outil ? Non ? Le mauvais prof n'est pas réparable.

Viré, donc.

Fureur de mon père, bien sûr.

Sales souvenirs, ces années de rancœur ordinaire !

4

Au lieu de recueillir et de publier les perles des cancres, qui réjouissent tant de salles de professeurs, on devrait écrire une anthologie des bons maîtres. La littérature ne manque pas de ces témoignages : Voltaire rendant hommage aux jésuites Tournemine et Porée, Rimbaud soumettant ses poèmes au professeur Izambard, Camus écrivant des lettres filiales à monsieur Germain, son instituteur bien-aimé, Julien Green rappelant à son affectueux souvenir l'image haute en couleur de monsieur Lesellier, son professeur d'histoire, Simone Weil chantant les louanges de son maître Alain, lequel n'oubliera jamais Jules Lagneau qui l'ouvrit à la philosophie, J.-B. Pontalis célébrant Sartre, qui « tranchait » tellement sur tous ses autres professeurs...

Si, outre celui des maîtres célèbres, cette anthologie proposait le portrait de l'inoubliable professeur que nous avons presque tous rencontré au moins une fois dans notre scolarité, nous en tirerions peut-être quelque lumière sur les qualités nécessaires à la pratique de cet étrange métier.

271

5

Aussi loin que je me souvienne, quand les jeunes professeurs sont découragés par une classe, ils se plaignent de n'avoir pas été formés pour ça. Le « ça » d'aujourd'hui, parfaitement réel, recouvre des domaines aussi variés que la mauvaise éducation des enfants par la famille défaillante, les dégâts culturels liés au chômage et à l'exclusion, la perte des valeurs civiques qui s'ensuit, la violence dans certains établissements, les disparités linguistiques, le retour du religieux, mais aussi la télévision, les jeux électroniques, bref tout ce qui nourrit plus ou moins le diagnostic social que nous servent chaque matin nos premiers bulletins d'information.

Du « nous ne sommes pas formés pour ça » au « nous ne sommes pas là pour », il n'y a qu'un pas qu'on peut exprimer ainsi : « Nous autres professeurs ne sommes pas là pour résoudre à l'intérieur de l'école les problèmes de société qui font écran à la transmission du savoir ; ce n'est pas notre métier. Qu'on nous adjoigne un nombre suffisant de surveillants, d'éducateurs, d'assistantes sociales, de psychologues, brefs de spécialistes en tous genres et nous pourrons enseigner sérieusement les matières que nous avons passé tant d'années à étudier. » Revendications on ne peut plus justifiées, auxquelles les ministères successifs opposent les limites du budget.

Nous voici donc entrés dans une nouvelle phase de la formation des enseignants, qui sera de plus en plus axée sur la maîtrise de la communication avec les élèves. Cette aide est indispensable, mais si les jeunes professeurs en attendent un discours normatif qui leur permette de résoudre tous les problèmes qui se posent dans une classe, ils iront vers de nouvelles désillusions ; le « ça » pour lequel ils n'ont pas été formés y résistera. Pour tout dire, je crains que « ça » ne se laisse jamais tout à fait cerner, que « ça » ne soit d'une autre nature que la somme des éléments qui le constituent objectivement.

6

L'idée qu'on puisse enseigner sans difficulté tient à une représentation éthérée de l'élève. La sagesse pédagogique devrait nous représenter le cancre comme l'élève le plus normal qui soit : celui qui justifie pleinement la fonction de professeur puisque nous avons *tout* à lui apprendre, à commencer par la nécessité même d'apprendre ! Or, il n'en est rien. Depuis la nuit des temps scolaires l'élève considéré comme normal est l'élève qui oppose le moins de résistance à l'enseignement, celui qui ne douterait pas de notre savoir et ne mettrait pas notre compétence à l'épreuve, un élève acquis d'avance, doué d'une compréhension immédiate, qui nous épargnerait la recherche des voies d'accès à sa comprenette, un élève naturellement habité par la nécessité d'apprendre, qui cesserait d'être un gosse turbulent ou un adolescent à problèmes pendant notre heure de cours, un élève convaincu dès le berceau qu'il faut juguler ses appétits et ses émotions par l'exercice de sa raison si on ne veut pas vivre dans une jungle de prédateurs, un élève assuré que la vie intellectuelle est une source de plaisirs qu'on peut varier à l'infini, raffiner à l'extrême, quand la plupart de nos autres plaisirs sont voués à la monotonie de la répétition ou à l'usure du corps, bref un élève qui aurait compris que le savoir est la seule solution : solution à l'esclavage où nous maintiendrait l'ignorance et consolation unique à notre ontologique solitude.

C'est l'image de cet élève idéal qui se dessine dans l'éther quand j'entends prononcer la phrase : « Je dois tout à l'école de la République ! » Je ne mets pas en cause la gratitude de celui qui la prononce. « Mon père était ouvrier et je dois tout à l'école de la République ! » Je ne minimise pas non plus les mérites de l'école. « Je suis fils d'immigré et je dois tout à l'école de la République ! »

Mais, c'est plus fort que moi, dès que j'entends cette manifestation publique de gratitude, je vois se dérouler un film – long métrage – à la gloire de l'école certes, mais à celle de cet enfant surtout qui aurait compris, dès sa première heure de maternelle, que l'école de la République était prête à lui garantir son avenir pour peu qu'il fût l'élève qu'elle attendait de lui. Et honte à ceux qui ne répondent pas à cette attente-là ! Alors une petite voix se met à commenter le film dans ma tête :

– C'est vrai, mon gars, tu dois beaucoup à l'école de la République, énormément même, mais pas tout, pas tout, sur ce point tu te trompes. Tu oublies les caprices du hasard. Peut-être étais-tu un enfant plus doué que la moyenne, par exemple. Ou un jeune immigré élevé par des parents aimants, volontaires

275

et perspicaces, comme les parents de mon amie Kahina, qui voulurent leurs trois filles indépendantes et diplômées pour qu'aucun homme ne les traite un jour comme l'étaient les femmes de leur génération. Tu pourrais, au contraire, être, comme mon vieux Pierre, le produit d'une tragédie familiale, et avoir trouvé ton unique salut dans tes études, y avoir plongé profondément pour oublier, le temps de la classe, ce que te réservait le retour à la maison. Ou encore avoir été, comme Minne, un enfant prisonnier de sa cage d'asthmatique et qui eut soif de tout apprendre tout de suite pour sortir de son lit de malade : « Apprendre pour respirer, me dit-elle, comme on ouvre des fenêtres, apprendre pour cesser d'étouffer, apprendre, lire, écrire, respirer, ouvrir toujours plus de fenêtres, de l'air, de l'air, je te jure, le travail scolaire était la seule façon de m'envoler hors de mon asthme, et je me fichais bien de la qualité des professeurs, sortir de mon lit, aller à l'école, compter, multiplier, diviser, apprendre la règle de trois, tricoter les lois de Mendel, en savoir tous les jours un peu plus, c'est tout ce que je voulais, respirer, de l'air ! de l'air ! » À moins que tu ne fusses doté de la mégalomanie blagueuse de Jérôme : « Dès que j'ai appris à lire et à compter, j'ai su que le monde était à moi ! À dix ans, je passais mes week-ends dans l'hôtel-restaurant de ma grand-mère et, sous prétexte de donner un coup de main en salle, je cassais les pieds aux clients en leur posant toutes sortes de colles : À quel âge est mort Louis XIV ? Qu'est-ce qu'un adjectif attribut ? 123 multiplié par 72 ? La réponse que je préférais était : J'en sais rien mais tu vas me le dire. C'était rigolo d'en savoir plus à dix ans que le pharmacien ou le curé du coin ! Ils me tapotaient la joue avec l'envie de m'arracher la tête, ça m'amusait follement. »

Excellents élèves, Kahina, Minne, Pierre, Jérôme et toi, et mon amie Françoise qui apprit tout en jouant, dès sa petite enfance, sans la moindre inhibition – Ah ! sa stupéfiante faculté de s'amuser sérieusement ! –, jusqu'à passer l'agrégation de lettres classiques comme s'il se fût agi du jeu des mille euros. Fils ou filles d'immigrés, d'ouvriers, d'employés, de techniciens, d'instituteurs ou de grands bourgeois, très différents les uns des autres, ces amis-là, mais excellents élèves tous. C'était bien le minimum que l'école de la République vous repère, eux et toi ! Et qu'elle t'aide à devenir ce que tu es ! Il n'aurait plus manqué qu'elle te rate ! Tu trouves qu'elle n'en laisse pas assez sur le bord du chemin, l'école de la République ?

En honorant l'école à l'excès, c'est toi que tu flattes en douce, tu te poses plus ou moins consciemment en élève idéal. Ce faisant, tu masques les innombrables paramètres qui nous font tellement inégaux dans l'acquisition du savoir : circonstances, entourage, pathologies, tempérament... Ah ! l'énigme du tempérament !

« Je dois tout à l'école de la République ! »

Serait-ce que tu voudrais faire passer tes aptitudes pour des vertus ? (Les unes et les autres n'étant d'ailleurs pas incompatibles...) Réduire ta réussite à une question de volonté, de ténacité, de sacrifice, c'est ça que tu veux ? Il est vrai que tu fus un élève travailleur et persévérant, et que le mérite t'en revient, mais c'est, aussi, pour avoir joui très tôt de ton aptitude à comprendre, éprouvé dès tes premières confrontations au travail scolaire la joie immense d'avoir compris, et que l'effort portait en lui-même la promesse de cette joie ! À l'heure où je m'asseyais à ma table écrasé par la conviction de mon idiotie, tu t'installais à la tienne vibrant d'impatience, impatience de passer à autre chose aussi, car ce problème de math sur lequel je m'endormais tu l'expédiais, toi, en un tournemain. Nos devoirs, qui étaient les tremplins de ton esprit, étaient les sables mouvants où s'enlisait le mien. Ils te laissaient libre comme l'air, avec la satisfaction du devoir accompli, et moi hébété d'ignorance, maquillant un vague brouillon en copie définitive, à grand renfort de traits soigneusement tirés qui ne trompaient personne. À l'arrivée, tu étais le travailleur, j'étais le paresseux. C'était donc ça, la paresse ? Cet enlisement en soi-même ? Et le travail, qu'était-ce donc ? Comment s'y prenaient-ils, ceux qui travaillaient bien ? Où puisaient-ils cette force ? Ce fut l'énigme de mon enfance. L'effort, où je m'anéantissais, te fut d'entrée de jeu un gage d'épanouissement. Nous ignorions toi et moi qu'« il faut réussir pour comprendre », selon le mot si clair de Piaget, et que nous étions, toi comme moi, la vivante illustration de cet axiome.

Cette passion de comprendre, tu l'as entretenue avec détermination ta vie durant, et tu as rudement bien fait. Elle brille encore aujourd'hui dans tes yeux ! Celui qui te la reprocherait serait un envieux imbécile... Mais je t'en prie, cesse de faire passer tes aptitudes pour des vertus, ça brouille les cartes, ça complique la question déjà fort complexe de l'instruction (et c'est un défaut de caractère assez répandu).

Sais-tu ce que tu étais, en réalité ?

Tu étais un élève friandise.

C'est ainsi que, devenu professeur, j'appelais (in petto) mes excellents élèves, ces perles rares, quand j'en trouvais un dans ma classe. Je les ai beaucoup aimés, mes élèves friandises ! Ils me reposaient des autres. Et me stimulaient. Celui qui pige le plus vite, répond le plus juste, et avec humour souvent, cet œil qui s'allume, et cette discrétion dans l'aisance qui est la grâce suprême de l'intelligence... La petite Noémie, par exemple (pardon, la grande Noémie, elle est en première à présent !), que son professeur de français remerciait, l'année dernière, sur son bulletin scolaire : « Merci », tout bonnement. Il était à court d'appréciations élogieuses : *Noémie P., français 19/20, Merci.* C'est justice : l'école de la République doit beaucoup à Noémie. Comme elle doit à mon jeune cousin Pierre, qui vient de nous annoncer sa mention très bien au bac avant de retourner affronter sur un voilier l'océan particulièrement colérique de ces premiers jours de juillet 2007 : « Des sensations un peu plus fortes que les examens... », semble nous dire son beau rire.

Oui, j'ai toujours aimé les bons élèves.

Et je les ai plaints, aussi. Car ils ont leurs propres tourments : ne jamais décevoir l'attente des adultes, s'agacer de n'être que deuxième quand ce crétin d'Untel monopolise la première place, deviner les limites du professeur à l'approximation de ses cours, et donc s'ennuyer un peu en classe, subir la moquerie ou l'envie des nuls, être accusés de pactiser avec l'autorité, à quoi s'ajoutent, comme pour les autres, les embarras ordinaires de la croissance.

Portrait d'un élève friandise : Philippe, en sixième, dans les années soixante-quinze, un filiforme Philippe de onze ans, aux oreilles perpendiculaires, doté d'un énorme appareil dentaire qui le fait zézayer comme une abeille. Je lui demande s'il a bien assimilé cette notion de langage propre et de langage figuré dont nous parlions la veille.

– Langaze propre et langaze figuré ? Parfaitement, monsieur ! Z'ai même plein d'egzemples à vous proposer !

– Je t'en prie, Philippe, nous t'écoutons.

– Bon, alors voilà, hier soir il y avait des invités à la maison. Ma Maman m'a présenté en langaze figuré. Elle a dit : « C'est Philippe, mon petit dernier. » Ze suis le dernier, c'est vrai pour l'instant en tout cas, mais pas petit du tout, plutôt grand pour mon aze, même ! « Il a un appétit d'oiseau. » C'est idiot, les oiseaux manzent une fois leur poids par zour, à ce qui paraît, et moi ze manze presque rien. Et elle a dit aussi que z'étais touzours dans la lune, alors que z'étais là, à table, avec eux, tout le monde pouvait témoigner ! Et à moi, elle ne m'a parlé qu'en langaze propre : « Tais-toi, essuie-toi la bouche, ne mets pas tes coudes sur la table, dis bonsoir et va te coucher... »

Philippe en tira la conclusion que le langage figuré était celui des maîtresses de maison et le langage propre celui des mères de famille.

– Et des professeurs, monsieur, précisa-t-il, des professeurs avec leurs zélèves !

Je ne sais pas ce qu'est devenu mon zozotant Philippe, archétype de l'élève friandise. À quoi passe-t-il sa vie ? Professeur ? J'aimerais. Ou, mieux, chargé, à Normale Sup ou dans un IUFM, de former les professeurs à la réalité des élèves tels qu'ils sont. Mais peut-être a-t-il perdu ses dons pédagogiques. Peut-être l'a-t-on jugé trop inventif pour enseigner, peut-être s'est-il endormi, peut-être s'est-il envolé...

7

Donc, l'élève tel qu'il est, tout est là.

« Fais attention, m'ont prévenu mes amis quand j'ai entrepris la rédaction de ce livre, les élèves ont énormément changé depuis ton enfance, et même depuis la douzaine d'années où tu as cessé d'enseigner ! Ce ne sont plus du tout les mêmes, tu sais ! »

Oui et non.

Ce sont des enfants et des adolescents du même âge que moi à la fin des années cinquante, voilà au moins un point de reconnaissance. Ils se lèvent toujours aussi tôt, leurs horaires et leurs sacs sont toujours aussi lourds et leurs professeurs, bons ou mauvais, restent des mets de choix au menu de leurs conversations, trois autres points communs.

Ah ! une différence : ils sont plus nombreux que dans mon enfance, quand les études s'arrêtaient pour beaucoup au certificat du même nom. Et ils sont de toutes les couleurs, du moins dans mon quartier, où vivent les immigrés qui ont construit le Paris contemporain. Le nombre et la couleur font des différences notables, c'est vrai, mais qui s'estompent dès qu'on quitte le XXᵉ arrondissement, surtout les différences de couleur. De moins en moins nombreux, les élèves de couleur, en descendant de nos collines vers le centre de Paris. Presque plus aucun dans les lycées qui flanquent le Panthéon. Très peu d'élèves blackoubeurs, dans nos centres-villes – la proportion de la charité, disons – et nous voici ramenés à la blanche école des années soixante.

Non, la différence fondamentale entre les élèves d'aujourd'hui et ceux d'hier est ailleurs : *ils ne portent pas les vieux pulls de leurs grands frères.* La voilà, la vraie différence ! Ma mère tricotait un pull-over à Bernard qui, ayant grandi, me le refilait. Même chose pour Doumé et Jean-Louis, nos aînés. Les « chandails » de notre mère constituaient l'inévitable surprise de Noël. Il n'y avait pas de marque, pas d'étiquette *pull Maman* ; pourtant la plupart des enfants de ma génération portaient des pulls maman.

Aujourd'hui, non ; c'est Mère-Grand marketing qui habille grands et petits. C'est elle qui habille, nourrit, désaltère, chausse, coiffe, équipe tout un chacun, elle qui barde l'élève d'électronique, le monte sur rollers, vélo, scooter, moto, trottinette, c'est elle qui le distrait, l'informe, le branche, le place sous transfusion musicale permanente et le disperse aux quatre coins de l'univers consommable, c'est elle qui l'endort, c'est elle qui le réveille et, quand il s'assied en classe, c'est elle qui vibre au fond de sa poche pour le rassurer : Je suis là, n'aie pas peur, je suis là, dans ton téléphone, tu n'es pas l'otage du ghetto scolaire !

8

Un enfant est mort, dans les années soixante-dix. Appelons-le l'enfant Jules, du prénom de Jules Ferry, ministre de l'Instruction publique entre 1878 et 1883. Nous faisons comme si l'enfant Jules était immortel et datait de toute éternité, mais il fut conçu il n'y a guère plus d'un siècle et je réalise avec stupeur qu'il aura vécu moins longtemps que ma vieille maman. Imaginé par Rousseau vers 1760 sous la forme d'un prototype mental prénommé Émile, il fut mis au monde un siècle plus tard par Victor Hugo, qui se faisait un devoir d'arracher les enfants au travail où les enchaînait le monde industriel naissant : « Le droit de l'enfant, c'est d'être un homme, écrivait Hugo dans *Choses vues* ; ce qui fait l'homme c'est la lumière ; ce qui fait la lumière c'est l'instruction. Donc le droit de l'enfant c'est l'instruction gratuite, obligatoire.» Dans la fin des années 1870, la République fit asseoir cet enfant sur les bancs de l'école laïque, gratuite et obligatoire pour que fussent satisfaits ses besoins fondamentaux : lire, écrire, compter, raisonner, se constituer en citoyen conscient de son identité individuelle et nationale. L'enfant Jules avait deux casquettes : il était écolier en classe, fils ou fille dans sa famille. La famille avait à charge son éducation, l'école son instruction. Ces deux mondes étaient pratiquement étanches et l'univers de l'enfant Jules l'était aussi : il assistait sans la moindre documentation aux terrifiants bourgeonnements de l'adolescence, il se perdait en conjectures sur les particularités de l'autre sexe, il imaginait beaucoup et corrigeait avec les moyens du bord ; quant à ses jeux, la plupart relevaient de sa seule faculté à les imaginer. Sauf cas exceptionnels, l'enfant Jules ne participait pas aux préoccupations affectives, économiques ou professionnelles des adultes. Il n'était ni l'employé de la société, ni le confident de la famille, ni l'interlocuteur de ses professeurs. Bien entendu, comme tous les univers, cette société si corsetée n'était simple qu'en apparence ; le sentiment y filtrait par quantité d'interstices pour lui conférer son humaine complexité. Reste que les droits de l'enfant Jules se limitaient à celui de l'instruction, ses devoirs à être un bon fils, un bon élève et, le cas échéant, un bon mort : sur une armée de six millions d'enfants Jules 1 350 000 furent massacrés entre 1914 et 1918 et la plupart des autres n'en revinrent pas entiers.

L'enfant Jules vécut cent ans.

1875-1975.

En gros.

Arraché à la société industrielle pendant le dernier quart du XIXᵉ siècle, il fut livré cent ans plus tard à la société marchande, qui en fit un enfant client.

9

Il existe cinq sortes d'enfants sur notre planète, aujourd'hui : l'enfant client chez nous, l'enfant producteur sous d'autres cieux, ailleurs l'enfant soldat, l'enfant prostitué, et sur les panneaux incurvés du métro, l'enfant mourant dont l'image, périodiquement, penche sur notre lassitude le regard de la faim et de l'abandon.

Ce sont des enfants, tous les cinq.

Instrumentalisés, tous les cinq.

10

Parmi les enfants clients il y a ceux qui disposent des moyens de leurs parents et ceux qui n'en disposent pas ; ceux qui achètent et ceux qui se débrouillent. Dans les deux cas de figure, l'argent étant rarement le produit d'un travail personnel, le jeune acquéreur accède à la propriété sans contrepartie. C'est cela, l'enfant client : un enfant qui, sur quantité de terrains de consommation *identiques à ceux de ses parents ou de ses professeurs* (habillement, nourriture, téléphonie, musique, électronique, locomotion, loisirs...), accède sans coup férir à la propriété privée. Ce faisant il joue le même rôle économique que les adultes qui ont à charge son éducation et son instruction. Il constitue comme eux une part énorme du marché, il fait comme eux circuler les devises (le fait que ce ne soit pas les siennes n'entre pas en ligne de compte), ses désirs autant que ceux de ses parents doivent être sollicités et renouvelés en permanence pour que la machine continue de tourner. De ce point de vue, il est un personnage considérable : client à part entière. Comme les grands.

Consommateur autonome.

Dès ses premiers désirs d'enfant.

Dont la satisfaction est censée mesurer l'amour qu'on lui porte.

Les adultes, même s'ils s'en défendent, n'y peuvent pas grand-chose ; ainsi va la société marchande : aimer son enfant (cet enfant, chez nous si *désiré* que sa naissance creuse en ses parents une dette d'amour sans fond), c'est aimer ses désirs, lesquels s'expriment vite comme des besoins vitaux : besoin d'amour ou désir d'objets, c'est tout comme, puisque les preuves de cet amour passent par l'achat de ces objets.

Le désir d'enfant...

Tiens, voilà une autre différence entre l'enfant d'aujourd'hui et celui que je fus : ai-je été un enfant désiré ?

Aimé, oui, à la façon de ma lointaine époque, mais désiré ?

Quelle tête ferait ma vieille maman, dont nous venons de fêter les cent un ans (décidément j'écris ce bouquin trop lentement), si je lui demandais en passant :

– À propos, ma petite mère, m'as-tu désiré ?

– ... ?

– Oui, tu m'as bien entendu : ai-je été un enfant expressément voulu par toi, par Papa, par vous deux ?

Je vois son regard se poser sur moi. J'entends le long silence qui s'ensuivrait. Et, question pour question :

– Dis-moi, tu t'en sors bien, toi, dans la vie ?

Si je creusais un peu plus, j'obtiendrais à la rigueur quelques précisions événementielles :

– C'était la guerre, ton père était en permission, puis il nous a déposés à Casablanca, tes trois frères et moi, pour aller débarquer avec la septième armée américaine en Provence. C'est à Casablanca que tu es né, toi.

Ou encore, en bonne mère du Sud :

– J'avais un peu peur que tu sois une fille, j'ai toujours préféré les garçons.

Mais savoir si je fus désiré, non. Il y avait un adjectif pour qualifier ces questions à cette époque et dans ma famille : elles étaient *saugrenues*.

Bien, revenons à l'enfant client.

Et mettons les choses au point : en le décrivant je ne cherche pas à le présenter comme un sybarite méprisable et décervelé, je ne prêche pas non plus le retour au pull maman, aux jouets en fer-blanc, aux chaussettes reprisées, aux silences familiaux, à la méthode Ogino et à tout ce qui fait que la jeunesse d'aujourd'hui imagine la nôtre comme un film en noir et blanc. Non, je me demande seulement quel genre de cancre j'aurais été, si le hasard m'avait fait naître, disons, il y a une quinzaine d'années. Aucun doute là-dessus : j'aurais été un cancre consommateur. À défaut de précocité intellectuelle, je me serais rabattu sur cette maturité commerciale qui confère aux désirs des adolescents la même légitimité qu'à ceux de leurs parents. J'en aurais fait une question de principe. Je m'entends d'ici : Vous avez votre ordinateur, j'ai bien *le droit* au mien ! Surtout si vous ne voulez pas que je touche le vôtre ! Et on m'aurait cédé. Par amour. Amour dévoyé ? Facile à dire. Chaque époque impose son langage à l'amour familial. La nôtre prescrit la langue des objets. N'oubliez pas le diagnostic de Grand-Mère marketing : « Il y va de son identité. » Comme bon nombre d'enfants ou d'adolescents que j'entends un peu partout, j'aurais su convaincre ma mère que ma conformité au groupe, donc mon équilibre personnel, dépendait de tel ou tel achat :

– Maman, il me faut absolument les dernières NNN !

Ma mère aurait-elle voulu faire de moi un paria ? Mes piètres résultats scolaires n'y suffisaient-ils pas ? Fallait-il vraiment en rajouter ?

– Maman, je te jure, j'aurai l'air d'un blaireau, sinon ! (Correction : « blaireau » date un peu), j'aurai l'air d'un *bolos*, et *ça va pas le faire* ! (En son temps, Michel Audiard aurait parlé de *cave* ou de *loquedu*. « Môman, si tu me paies pas ces pompes i vont me prendre pour un cave ! »)

Et ma mère aimante aurait cédé.

Seulement, il y a une quinzaine d'années, aurais-je été le dernier-né d'une fratrie de quatre ? M'aurait-on *désiré* ? M'aurait-on accordé mon visa de sortie ?

Question de budget, comme le reste.

11

Un des éléments du « ça » auquel le jeune professeur d'aujourd'hui n'est pas préparé, c'est le face-à-face avec une classe d'enfants clients. Certes, il en fut un lui-même et ses propres enfants en sont, mais dans cette classe il est le professeur. En tant que professeur il ne ressent pas la dette d'amour qui émeut son cœur de père. L'élève n'est pas un enfant désiré au point de faire fondre de gratitude les membres du corps enseignant. Ici, on est à l'école, au collège, au lycée, pas en famille, pas dans une galerie marchande : on n'exauce pas des désirs superficiels par des cadeaux, on satisfait des besoins fondamentaux par des obligations. Besoins de s'instruire d'autant plus difficiles à combler qu'il faut d'abord les éveiller ! Rude tâche pour le professeur, ce conflit entre les désirs et les besoins ! Et douloureuse perspective pour le jeune client, avoir à se préoccuper de ses besoins au détriment de ses désirs : se vider la tête pour se former l'esprit, se débrancher pour se connecter au savoir, troquer la pseudo-ubiquité des machines contre l'universalité des connaissances, oublier les clinquantes babioles pour assimiler d'invisibles abstractions. Et devoir les payer, ces connaissances scolaires, quand la satisfaction des désirs, elle, ne l'engage à rien ! Car, paradoxe de l'enseignement gratuit hérité de Jules Ferry, l'école de la République reste aujourd'hui le dernier lieu de la société marchande où l'enfant client doive *payer de sa personne*, se plier au donnant-donnant : du savoir contre du travail, des connaissances contre des efforts, l'accès à l'universalité contre l'exercice solitaire de la réflexion, une vague promesse d'avenir contre une pleine présence scolaire, voilà ce que l'école exige de lui.

Si le bon élève, fort de son aptitude à faire la part des choses, se satisfait de cette situation, pourquoi le cancre l'accepterait-il ? Pourquoi abandonnerait-il son statut de maturité commerciale pour la position de l'élève obéissant, qu'il estime infantilisante ? Pourquoi irait-il payer à l'école dans une société où des ersatz de connaissance lui sont, du matin au soir, proposés gratuitement sous la forme de sensations et d'échange ? Tout cancre qu'il soit en classe, ne se sent-il pas maître de l'univers quand, enfermé dans sa chambre, il est assis devant sa console ? En chattant jusqu'au petit matin n'éprouve-t-il pas le sentiment de communiquer avec la terre entière ? Son clavier ne lui promet-il pas l'accès à toutes les connaissances sollicitées par ses envies ? Ses combats contre les armées virtuelles ne lui offrent-ils pas une vie palpitante ? Pourquoi troquerait-il cette position centrale contre une chaise de classe ? Pourquoi supporterait-il les jugements réprobateurs des adultes penchés sur son bulletin trimestriel quand, verrouillé dans sa chambre, coupé des siens et de l'école, il règne ?

Aucun doute, si le cancre que je fus était né il y a une quinzaine d'années et si sa mère n'avait pas cédé à ses moindres envies, il aurait pillé la caisse familiale, mais pour se faire des cadeaux à lui-même, cette fois ! Il se serait offert un matériel d'évasion dernier cri, se serait laissé aspirer par son écran, s'y serait dilué pour surfer sur l'espace-temps, sans contrainte ni limite, sans horaire et sans horizon, il aurait chatté sans fin et sans propos avec d'autres lui-même. Il l'aurait adorée, cette époque qui, si elle ne garantit aucun avenir à ses mauvais élèves, est prodigue en machines qui leur permettent d'abolir le présent ! Il aurait été la proie idéale pour une société qui réussit cette prouesse : fabriquer de jeunes obèses en les désincarnant.

12

– Moi, un jeune obèse désincarné ?
(Oh ! Bon dieu, le revoilà...)
– Qui te permet de parler à ma place ?
Nom d'un chien, pourquoi l'ai-je évoqué, ce cancre que je fus, cet indécrottable souvenir de moi-même ? J'arrive enfin à mes dernières pages, il me fichait la paix depuis cette conversation sur Maximilien, et voilà que je le rappelle à mon bon souvenir !
– Réponds-moi ! Qu'est-ce qui t'autorise à penser que si j'étais né il y a une quinzaine d'années, je serais le cancre hyperconsommateur que tu dis ?
Aucun doute, c'est bien lui. Toujours à exiger des explications au lieu de fournir des résultats. Bon, allons-y :
– Et depuis quand ai-je besoin de ton autorisation pour écrire quoi que ce soit ?
– Depuis que tu dégoises sur les cancres ! En matière de cancrerie c'est moi l'expert, il me semble !
Est-on l'expert de ce qu'on subit ? Les malades doivent-ils nécessairement remplacer les toubibs et les mauvais élèves se substituer à leurs professeurs ?

Inutile de le pousser sur ce terrain, il serait fichu de m'y faire noircir des pages. Finissons-en au plus vite :

– Admettons. Quel genre de cancre serais-tu aujourd'hui, d'après toi ?

– Si ça se trouve, aujourd'hui je m'en sortirais très bien ! Y a pas que l'école, dans la vie, figure-toi ! Tu nous bassines depuis le début avec l'école, mais il y a d'autres solutions ! Tu as des tas d'amis qui ont très bien réussi hors de l'école. Il faut le dire aussi, ça ! Regarde Bertrand, Robert, Mike et Françoise : ils se sont barrés très tôt de l'école et s'en sont très bien sortis. Ils se sont fait une belle vie, non ? Alors, pourquoi pas moi ? Moi, je serais peut-être un champion de l'électronique aujourd'hui, va savoir !

– ...

– Non ? Ça te défrise cette perspective, toi qui n'es pas foutu d'initialiser le moindre ordinateur ! Tu me veux cancre, hein, absolument. Et perceur de coffres ! C'est pour les besoins de la démonstration ? Bon, d'accord, si j'étais né il y a quinze ans j'aurais été un cancre, le pire de ta classe, et toi tu te serais répandu : « On m'a pas formé à ça, on m'a pas formé à ça », ça te va comme ça ?

– ...

– De toute façon ce que j'aurais été ou pas, c'est pas la question.

– Quelle est la question ?

– La vraie nature du « ça » pour lequel les jeunes profs déclarent n'avoir pas été formés, la voilà la seule question, c'est toi-même qui l'as posée.

– Réponse ?

– Vieille comme le monde : les profs ne sont pas préparés à la collision entre le savoir et l'ignorance, voilà tout !

– Tu m'en diras tant.

– Parfaitement, ces histoires de perte de repères, de violence, de consommation, tout ce baratin, c'est l'explication du jour ; demain ce sera autre chose. D'ailleurs tu l'as dit toi-même : La vraie nature du « ça » n'est pas réductible à la somme des éléments qui la constituent objectivement.

– Ce qui ne nous éclaire pas sur ce qu'elle est.

– Je viens de te le dire : le choc du savoir contre l'ignorance ! Il est trop violent. La voilà, la vraie nature du « ça ». Tu m'écoutes, oui ?

– Je t'écoute, je t'écoute.

Je l'écoute et voilà qu'il se lance dans un cours magistral, monté sur estrade, on ne peut plus sûr de lui, d'où il ressort, si je le comprends bien, que la vraie nature du « ça » résiderait dans l'éternel conflit entre la connaissance telle qu'elle se conçoit et l'igno-rance telle qu'elle se vit : l'incapacité absolue des pro-fesseurs à comprendre l'état d'ignorance où mijotent leurs cancres, puisqu'ils étaient eux-mêmes de bons élèves, du moins dans la matière qu'ils enseignent ! Le gros handicap des professeurs tiendrait dans leur incapacité à s'imaginer *ne sachant pas ce qu'ils savent*. Quelles que soient les difficultés qu'ils ont éprouvées à les acquérir, dès que leurs connais-sances sont acquises elles leur deviennent consubs-tantielles, ils les perçoivent désormais comme des évidences (« Mais c'est *évident*, voyons ! »), et ne peuvent pas imaginer leur absolue étrangeté pour ceux qui, dans ce domaine précis, vivent en état d'ignorance.

– Toi, par exemple, qui as mis un an à apprendre la lettre *a* peux-tu, aujourd'hui, t'imaginer ne sachant ni lire ni écrire ? Non ! Pas plus qu'un prof de math ne peut s'imaginer ignorant que 2 et 2 font 4 ! Eh bien il fut un temps où tu ne savais pas lire ! Tu pataugeais dans l'alphabet. Lamentable, tu étais ! Djibouti, tu te souviens ? Puis-je maintenant te rappeler l'époque, pas si lointaine, où tu trouvais qu'Alice, ta fille – aujourd'hui plus grande lectrice que toi –, mettait de la mauvaise volonté à lire les premiers textes que l'école flanquait sous ses yeux d'enfant ? Imbécile ! Père indigne ! Tu avais oublié que cette difficulté avait été la tienne ! Et que tu étais infiniment plus lent que ta fille dans ce domaine ! Mais voilà, devenu adulte et *sachant*, Monsieur se montrait impatient avec une gamine en apprentissage ! Ton savoir de prof et ton inquiétude de père t'avaient tout bonnement fait perdre le sens de l'ignorance !

Je l'écoute, je l'écoute. Lancé à une pareille vitesse, je sais que rien ne pourrait l'arrêter.

– Vous êtes tous les mêmes, les profs ! Ce qui vous manque, ce sont des cours d'ignorance ! On vous fait passer toutes sortes d'examens et de concours sur vos connaissances acquises, quand votre première qualité devrait être l'aptitude à concevoir *l'état de celui qui ignore ce que vous savez* ! Je rêve d'une épreuve du Capès ou de l'agreg où on demanderait au candidat de se souvenir d'un échec scolaire – une brusque chute, en math, par exemple, en troisième ou en seconde – et de chercher à comprendre ce qui lui est arrivé cette année-là !

– Il accuserait son professeur d'alors.

– Insuffisant ! La faute au prof, je connais, j'ai pratiqué. Il faudrait exiger du candidat qu'il fouille plus profond, qu'il cherche vraiment pourquoi il a dévissé cette année-là. Qu'il cherche en lui, autour de lui, dans sa tête, dans son cœur, dans son corps, dans ses neurones, dans ses hormones, qu'il cherche partout. Et qu'il se souvienne aussi comment il s'en est sorti ! Les moyens qu'il a utilisés ! Les fameuses ressources ! Où se planquaient-elles, ses ressources ? À quoi elles ressemblaient ? J'irai plus loin, il faudrait demander aux apprentis professeurs les raisons pour lesquelles ils se sont consacrés à telle matière plutôt qu'à telle autre. Pourquoi enseigner l'anglais et pas les math ou l'histoire ? Par préférence ? Eh bien, qu'ils aillent fouiller du côté des matières qu'ils ne préféraient pas ! Qu'ils se souviennent de leurs faiblesses en physique, de leur nullité en philo, de leurs excuses bidons en gymnastique ! Bref, il faut que ceux qui prétendent enseigner aient une vue claire de leur propre scolarité. Qu'ils *ressentent* un peu l'état d'ignorance s'ils veulent avoir la moindre chance de nous en sortir !

– Si je comprends bien, tu suggères de recruter les professeurs chez les mauvais élèves plutôt que chez les bons ?

– Pourquoi pas ? S'ils s'en sont sortis et qu'ils se souviennent de l'élève qu'ils étaient, pourquoi pas ? Après tout, tu me dois beaucoup !

– ...

– Non ?

– ...

– Non ? Moi, je trouve qu'en matière d'enseignement tu me dois énormément. Il a fallu que tu sois un ancien cancre pour devenir prof, non ? Sois honnête. Si tu avais brillé en classe, tu aurais fait autre chose. En fait tu es retourné dans la poubelle de Djibouti, déguisé en prof, pour en sortir d'autres cancres ! Et c'est grâce à moi que tu y es arrivé ! Parce que tu savais ce que je ressentais. C'était du *savoir* ça aussi, tu ne penses pas ?

(S'il s'imagine que je vais lui faire ce plaisir...)

– Je pense surtout que tu nous les brises avec ton devoir d'empathie et qu'il énerverait plus d'un professeur ! Si tu t'étais pris en main une bonne fois tu t'en serais sorti toi-même !

Là, il se fiche dans une rogne noire. D'abord parce qu'il ne comprend pas le mot « empathie », ensuite parce qu'une fois expliqué, il le comprend trop bien.

– Pas l'empathie ! On s'en fout de votre empathie ! Elle nous coulerait plutôt, votre empathie ! Personne ne vous demande de vous prendre pour nous, on vous demande de sauver les gosses qui n'ont pas les moyens de vous le demander, tu peux comprendre ça ? On vous demande d'ajouter à toutes vos connaissances l'intuition de l'ignorance, et d'aller à la pêche au cancre, c'est votre boulot ! Le mauvais élève se prendra en main quand vous lui aurez appris à se prendre en main ! C'est tout ce qu'on vous demande !

– Qui ça, *on* ?

– Moi !

– Ah, toi… Et qu'en dirais-tu, toi, le spécialiste, de cet état d'ignorance ?

– J'en dirais que ce n'est pas le grand trou noir que vous imaginez. C'est tout le contraire. Un marché aux puces où tu trouves tout et n'importe quoi *sauf* le désir d'apprendre ce que les profs t'enseignent. Le mauvais élève ne se vit jamais comme ignorant. Je ne me trouvais pas ignorant, moi, je me trouvais con, c'est très différent ! Le cancre se vit comme indigne, ou comme anormal, ou comme révolté, ou alors il s'en fout, il se vit comme sachant un tas d'autres choses que ce que vous prétendez lui apprendre, mais il ne se vit pas comme ignorant ce que vous savez ! Très vite, il n'en veut plus de votre savoir. Il en a fait son deuil. Un deuil douloureux parfois, mais, comment dire ? L'entretien de cette douleur l'occupe davantage que le désir de la guérir, c'est difficile à comprendre mais c'est comme ça ! Son ignorance, il la prend pour sa nature profonde. Il n'est pas *un élève de mathématiques*, il est *un nul en math*, c'est comme ça. Comme il lui faut des compensations, il va briller dans d'autres secteurs. Perceur de coffres, dans mon cas. Et casseur de gueules, un peu. Et quand il se fait poisser par la police, que l'assistante sociale lui demande pourquoi il ne travaille pas à l'école, tu sais ce qu'il répond ?

– ...

– *La même chose que le professeur*, exactement : le
« ça », le « ça » ! L'école, c'est pas pour moi, je suis pas
fait pour « ça », voilà ce qu'il répond. Et lui aussi, sans
le savoir, parle du terrible choc entre l'ignorance et le
savoir. C'est le même « ça » que celui des professeurs.
Les profs estiment n'avoir pas été préparés à trouver
dans leurs classes des élèves qui estiment ne pas être
faits pour y être. Des deux côtés, le même « ça » !

– Et comment remédier à « ça », si l'empathie est
déconseillée ?

Là, il hésite énormément.

Je dois insister :

– Vas-y, toi qui sais tout sans avoir rien appris, le
moyen d'enseigner sans être préparé à ça ? Il y a une
méthode ?

– C'est pas ce qui manque, les méthodes, il n'y a
même que ça, des méthodes ! Vous passez votre
temps à vous réfugier dans les méthodes, alors qu'au
fond de vous vous savez très bien que la méthode ne
suffit pas. Il lui manque quelque chose.

– Qu'est-ce qu'il lui manque ?

– Je ne peux pas le dire.

– Pourquoi ?

– C'est un gros mot.

– Pire qu'« empathie » ?

– Sans comparaison. Un mot que tu ne peux absolument pas prononcer dans une école, un lycée, une
fac, ou tout ce qui y ressemble.

– À savoir ?

– Non, vraiment je peux pas...

– Allez, vas-y !

– Je ne peux pas, je te dis ! Si tu sors ce mot en parlant d'instruction, tu te fais lyncher.

– ...

– ...

– ...

– L'amour.

13

C'est vrai, chez nous il est malvenu de parler d'amour en matière d'enseignement. Essayez, pour voir. Autant parler de corde dans la maison d'un pendu.

Mieux vaut recourir à la métaphore pour décrire le type d'amour qui anime mademoiselle G., Nicole H., les professeurs dont j'ai parlé tout au long de ces pages, la plupart de ceux qui m'invitent dans leurs classes et tous les inlassables que je ne connais pas.

Métaphore, donc.

Une métaphore ailée en l'occurrence.

Vercors, une fois de plus.

Un matin de septembre dernier.

Les tout premiers jours de septembre.

Je me suis endormi tard sur une quelconque page de ce livre. Je me réveille pressé de poursuivre. Je m'apprête à sauter du lit mais un subtil vacarme me stoppe. Ça piaille autour de la maison. Pépiements innombrables, à la fois intenses et tout à fait ténus. Ah ! oui, le départ des hirondelles ! Chaque année vers la même date elles se donnent rendez-vous sur les fils électriques. Champs et bords de route se couvrent de partitions, comme dans une image à trois sous. On s'apprête à migrer. C'est le vacarme des retrouvailles. Celles qui tournoient encore dans le ciel demandent autorisation d'alignage à celles qui sont déjà posées sur leur fil, toutes frémissantes du désir d'horizon. Magnez-vous, on y va ! On arrive, on arrive ! Ça vole à toute allure. Ça vient du nord, par bataillons hitchcockiens, cap vers le sud. Or, c'est précisément l'orientation de notre chambre : nord, sud. Une lucarne au nord, une double fenêtre au sud. Et chaque année le même drame : trompées par la transparence de ces fenêtres alignées, un bon nombre d'hirondelles se cassent la tête contre la lucarne. Pas d'écriture ce matin, donc. J'ouvre la lucarne nord et la double fenêtre sud, je replonge dans notre lit, et nous voilà occupés pour la matinée à regarder des escadrilles d'hirondelles traverser notre piaule, silencieuses tout à coup, intimidées peut-être par ces deux allongés qui les passent en revue. Seulement, de part et d'autre de la double fenêtre, deux minces fenestrons verticaux restent fermés. L'espace est vaste entre les deux fenestrons, de quoi livrer passage à tous les oiseaux du ciel. Pourtant ça ne rate jamais, il faut toujours que trois ou quatre de ces idiotes se payent les fenestrons ! C'est notre proportion de cancres. Nos déviantes. On n'est pas dans la ligne. On ne suit pas le droit chemin. On batifole en marge. Résultat : fenestron. Poc ! Assommée sur le tapis. Alors, l'un de nous deux se lève, prend l'hirondelle estourbie au creux de sa main – ça ne pèse guère, ces os pleins de vent –, attend qu'elle se réveille, et l'envoie rejoindre ses copines. La ressuscitée s'envole, groggy encore un peu, zigzaguant dans l'espace retrouvé, puis elle pique droit vers le sud et disparaît dans son avenir.

Voilà, ma métaphore vaut ce qu'elle vaut mais c'est à cela que ressemble l'amour en matière d'enseignement, quand nos élèves volent comme des oiseaux fous. C'est à cela que mademoiselle G. ou Nicole H. auront occupé leur existence : sortir du coma scolaire une ribambelle d'hirondelles fracassées. On ne réussit pas à tous les coups, on échoue parfois à tracer une route, certains ne se réveillent pas, restent sur le tapis ou se cassent le cou contre la vitre suivante ; ceux-là demeurent dans notre conscience comme ces trous de remords où reposent les hirondelles mortes au fond de notre jardin, mais à tous les coups on essaye, on aura essayé. Ils sont *nos* élèves. Les questions de sympathie ou d'antipathie pour l'un ou l'autre d'entre eux (questions on ne peut plus réelles, pourtant !) n'entrent pas en ligne de compte. Bien malin qui pourrait dire le degré de nos sentiments à leur égard. Ce n'est pas de cet amour-là qu'il s'agit. Une hirondelle assommée est une hirondelle à ranimer, point final.

REMERCIEMENTS

Ils vont, comme souvent, à J.-B. Pontalis, Jean-Philippe Postel, Jacques Baynac, Jean Guerrin, Jean-Marie Laclavetine, Hugues Leclercq, à Pierre Gestède, à Philippe Ben Lahcen aussi, à Jean-Luc Géniteau, à Véronique Rischard, à Christine et François Morel, à Charlotte et Vincent Schneegans, à Jean-Michel Mariou, bref à tous ceux qui nous ont supportés, mon cancre et moi, pendant que j'écrivais ces pages.

Œuvres de Daniel Pennac (suite)

Hors série Littérature

KAMO : Kamo, l'idée du siècle – Kamo et moi – Kamo, l'agence de Babel – L'évasion de Kamo. *Illustrations de Jean-Philippe Chabot.*

Dans la collection « Écoutez Lire »

KAMO L'IDÉE DU SIÈCLE. Lu par Daniel Pennac. *Illustrations de Jean-Philippe Chabot.*

KAMO L'AGENCE BABEL. Lu par Daniel Pennac. *Illustrations de Jean-Philippe Chabot.*

MERCI. Lu par Claude Piéplu. *Illustrations de Quentin Blake.*

L'ŒIL DU LOUP. Lu par Daniel Pennac. *Illustrations de Catherine Reisser.*

Dans la collection « Gaffobobo »

BON BAIN LES BAMBINS. *Illustrations de Ciccolini.*

LE CROCODILE À ROULETTES. *Illustrations de Ciccolini.*

LE SERPENT ÉLECTRIQUE. *Illustrations de Ciccolini.*

Dans la collection « À voix haute » (CD audio)

BARTLEBY LE SCRIBE de Herman Melville dans la traduction de Pierre Leyris.

Aux Éditions Hoëbeke

LES GRANDES VACANCES, en collaboration avec Robert Doisneau.

LA VIE DE FAMILLE, en collaboration avec Robert Doisneau.

NEMO.

ÉCRIRE.

Aux Éditions Nathan et Pocket Jeunesse

CABOT-CABOCHE.

L'ŒIL DU LOUP (repris dans « Écoutez Lire »/Gallimard Jeunesse).

Aux Éditions Centurion Jeunesse

LE GRAND REX.

Aux Éditions Grasset

PÈRE NOËL, *biographie romancée*, en collaboration avec Tudor Eliad.
LES ENFANTS DE YALTA, *roman*, en collaboration avec Tudor Eliad.

Chez d'autres éditeurs

LE TOUR DU CIEL, *Calmann-Lévy et Réunion des Musées nationaux*.
LE SERVICE MILITAIRE AU SERVICE DE QUI ?, *Le Seuil*.
VERCORS D'EN HAUT : LA RÉSERVE NATURELLE DES HAUTS-PLATEAUX, *Milan*.
QU'EST-CE QUE TU ATTENDS, MARIE ?, *Calmann-Lévy et Réunion des Musées nationaux*.

Achevé d'imprimer
sur Roto-Page
par l'Imprimerie Floch
à Mayenne, le 20 mai 2008.
Dépôt légal : mai 2008.
1ᵉʳ dépôt légal : octobre 2007.
Numéro d'imprimeur : 71298.

ISBN 978-2-07-076917-9/Imprimé en France.

161220